Xavier Palizzol

MERLIN

Du même auteur

AUX ÉDITIONS BALLAND

Mélancolie Nord, *roman, 1982*

Le Perchoir du perroquet, *roman, 1983*

Alizés, *roman, 1984*

Les Jungles pensives, *roman, 1985*

L'Ouroboros, *théâtre, 1985*

AUX ÉDITIONS DU SEUIL

Archipel, *roman, 1987*

EN COLLECTIONS DE POCHE

Mélancolie Nord, *« Points Roman », 1986*

Le Perchoir du perroquet, *« Points Roman », 1987*

Alizés, *« Folio », 1987*

Archipel, *« Points Roman », 1989*

MICHEL RIO

MERLIN

roman

ÉDITIONS DU SEUIL
*27, rue Jacob, Paris VIe*

ISBN 2-02-010553-5.

à Alice

J'ai cent ans. Un siècle est une éternité à vivre et, après qu'on l'a vécu, une pensée fugitive où tout, les commencements, la conscience, l'invention et l'échec, se ramasse en une expérience sans durée. Je porte le deuil d'un monde et de tous ceux qui l'ont peuplé. J'en suis le seul survivant. Dieu lui-même se meurt, et Satan ne va guère mieux. Cet ancien désir d'absolu, qui m'a toujours poussé à agir, rencontre enfin dans l'inaction un objet indiscutable, et c'est l'absolu de la solitude. Idéal de plomb. Peut-être ici la discrétion et la modestie ne sont-elles pas convenables. Je dois dire sans doute : j'ai créé un monde, et il est mort. Ce qu'il y a de divin dans cette prétention est tempéré par son résultat, qui est un cadavre, et les deux sens du mot « vanité » s'annulent pour donner un à-peu-près de néant où je finis.

Et cependant je suis entouré de vie. Dès que je passe le

seuil de la riche grotte qui abrite ma retraite depuis cinquante ans, je vois des existences s'agiter ou se fixer sur la matière morte qui, je le sais à présent, est notre ultime avenir. Il m'arrive de parler aux animaux et aux arbres. Ils sont sans passé et sans futur, donc sans amertume. Ils obéissent en brutes aveugles à une loi brutale et aveugle. Leur monde dure, et au milieu de lui toutes les traces du mien sont comme des signaux de mort.

La grotte est presque au sommet d'un amas rocheux qui domine le paysage. De l'entrée, exactement là où un demi-siècle auparavant Viviane a accompli un illusoire enchantement destiné à faire de moi son prisonnier sans voir que c'était mon seul désir et que sa chair, non ses discutables pouvoirs, me retenait, le regard pénètre loin sur la terre de Bénoïc. A l'horizon oriental, la forteresse de Trèbes dresse ses hautes ruines noircies au-dessus des boues pâles du marais semées de verdure rase et avivées par les miroirs étincelants des flaques. Ses tours calcinées, couronnées parfois d'un envol groupé de charognards vivant d'on ne sait quoi, sans doute de souvenirs de bombance et de carnage au temps lointain de la guerre de Claudas et du roi Ban, se détachent, sinistres, sur l'azur du ciel illuminé par les incandescences verticales du solstice. La vase craquelée et amincie du marécage vient sécher au pied des terres fermes où commence le panache irrégulier du Bois en Val, décoré de toutes les nuances vert sombre du plein été. Des zones denses d'arbustes et d'arbrisseaux se disputant un territoire qu'ils ont rendu impénétrable cernent des dégagements pénombreux où quelque antique colosse, privant le sol de lumière à cause de l'épaisseur et de l'extension de sa ramure, tient à distance les jeunes pousses avides d'espace et de conquête. La végétation monte à l'assaut du pic où je demeure, profitant du moindre résidu de terre dans un creux de roc, vague s'amenuisant peu à peu jusqu'à mourir, tout près du sommet, sur la nudité de la pierre lisse. En bas, les eaux grises du lac de Diane font une immense trouée dans la verdure, douves démesurées dont la faible houle vient battre la muraille de ce palais élevé naguère par amour, de cette forteresse du savoir et du plaisir devenue du fait de l'échec et du temps l'abri silencieux d'une morte esseulée, le tombeau monumental et improvisé où repose à jamais le corps de Viviane. Au nord, au-delà du bois, des landes et du chaos granitique du rivage, la mer baignant les deux Bretagnes est comme une coulée d'argent liquide dispersant en mille éclats les feux du soleil, fugitivement ternie au passage de quelque long nuage poussé vers le continent par les risées languides de la brise océane. Dans le lointain, presque sur la ligne de partage des eaux et du ciel, une forme basse émerge du flot. Avalon. La verte et noire *Insula Pomorum*. L'île de la fée, le royaume de Morgane que les marins superstitieux et les voyageurs inquiets, tandis que leurs nefs passent au large, observent en silence, y voyant une terre de magie, de luxure et de mort, un enfer chatoyant peuplé de démons et hanté par les ombres des malheureux qui ont osé approcher la femme la plus belle et la plus terrible de l'Occident. Mais je sais bien, moi qui ai construit là, il y a peu, le mausolée où dorment Arthur et Morgane, le frère et la sœur, réunis dans la paix après une longue passion d'amour et de haine, que c'est un lieu vide et que les fruits des arbres innombrables tombent et pourrissent sur un sol déserté enrichi en vain.

Ainsi tout ce que j'aperçois ici des traces de l'homme, aussi loin que peut porter l'œil, est-il lié à la ruine et à la disparition. Et sans doute mon amertume de me trouver enfin terrassé par le poids du temps et des choses après avoir goûté à une espèce d'éternité et au pouvoir absolu de l'esprit s'efface-t-elle devant la douleur plus aiguë et plus commune d'embrasser en un regard les sites funèbres où gisent les trois êtres que j'ai le plus aimés. Sans doute, en fin de compte, le deuil d'une chair est-il plus lourd à porter que celui d'un monde.

Le Bois en Val retentit de chants d'oiseaux. Un vol de tadornes vient se poser sur le lac de Diane, guetté par un rapace déployé contre le vent, immobile dans les hauteurs comme une statue suspendue au vide. Un sanglier s'ébat dans une bauge. Leur monde dure. Et le mien, a-t-il jamais existé ailleurs que dans l'arbitraire de la pensée ? Peut-être tout ce qui tient à la conscience, venant effleurer le réel sans l'entamer, est-il voué à l'échec et à l'oubli ? Peut-être l'invention n'est-elle qu'un accommodement avec l'intolérable ? J'ai voulu mettre le Diable, dont on dit que je suis issu, au service de Dieu, c'est-à-dire de l'homme. Et ces figures moribondes s'estompent dans le chaos d'une nature qui triomphe spontanément de l'homme et dans l'homme, sans effort ni calcul, sans projet. J'avais, moi, un projet. Né dans le sang, il a été noyé dans le sang. Les terres gorgées de Badon et de Camlann, où l'herbe pousse plus haute et drue, en ont gardé la trace, sorte de souvenir conservé par la matière morte et la vie sans âme. Que restera-t-il, dans la mémoire des hommes en qui cohabitent l'âme et le chaos, de ce mélange de Dieu et de Diable ? Violence des doux, trahison des fidèles, imprévoyance des sages, lascivité des courtois, adultère et inceste des purs, faiblesse des puissants, idéalité des fins et amoralité des moyens... Et ma propre cécité de devin. Restera-t-il la victoire ébauchée d'une idée ou un ultime échec devant la brutalité des choses ? Ce qui aurait pu être ou ce qui fut et qui est ?

La nuit tombait. Le soleil avait presque sombré dans la mer occidentale, et ses derniers feux venaient colorer d'orange et d'or les hautes roches de la côte. A l'est, sur le fond noir du ciel, Isca, la puissante forteresse des Silures bâtie autrefois par les légions de Rome, brûlait comme une torche. Au sud, très loin, on apercevait encore, baignées des lueurs obliques du couchant, les formes rases sur l'eau des rivages de Dumnonia. Un vent de mer, frais et doux, chassait vers l'orient l'odeur du sang et des brasiers.

La plaine était morte. Les Demetae, après avoir enlevé leurs compagnons blessés ou tués au combat et dépouillé les cadavres de leurs ennemis, s'étaient retirés sur les collines où ils avaient leur campement. Épuisés par douze heures de bataille à outrance, sans répit, ils étaient silencieux. Ils n'avaient même pas allumé de feu. Certains mangeaient, la plupart dormaient sur le sol nu, tout équipés, souillés de boue et de sang, là où le sommeil les avait surpris et terrassés.

L'armée des Silures n'existait plus. De ses quinze mille hommes, il ne restait pas un survivant. Ils gisaient en foule sur la plaine. D'autres se consumaient dans l'incendie d'Isca. Quelques-uns, très peu, car ils s'étaient presque tous battus jusqu'au bout avec férocité, étaient couchés plus loin, sur le chemin de Carduel où ils avaient fui et où les cavaliers les avaient rejoints et abattus.

Les souffles calmes venus de la mer passaient sur la plaine, ne créant aucune de ces longues ondulations qui parcourent les herbes hautes et leur donnent des pâleurs immenses et fugitives. Il n'y avait plus d'herbe. Un manteau de chair avait remplacé sur l'humus le manteau végétal. La terre était figée, le ciel vide. Les oiseaux effrayés par les tumultes du jour avaient fui au loin, et les charognards circonspects n'avaient pas encore fait leur apparition au-dessus de ce monstrueux festin d'hommes morts.

Il y avait deux mouvements dans cette immobilité. Du côté de la forteresse, les flammes éclairaient de lueurs fantasques et mobiles des amoncellements de corps parfois hauts de quatre pieds, surtout aux environs de la porte principale où les combats avaient été les plus compacts et les plus acharnés. Ces passages dansants de lumière et d'ombre donnaient aux cadavres des ébauches de remuement, une hideuse apparence de vie. L'autre mouvement était celui d'un cavalier géant monté sur un lourd étalon de guerre, qui s'avançait, solitaire au milieu du charnier, vers la hauteur d'où j'avais observé tout le jour, sous la garde de mon précepteur Blaise, les flux et les reflux de cette grande bataille. Il s'arrêta à quelques pas de nous et ôta son casque.

« Donne-moi mon petit-fils », dit-il à Blaise.

C'était le roi des Demetae.

Il avait été couronné à l'âge de seize ans, peu après le départ des légions appelées aux frontières continentales qui cédaient sous la poussée des hordes barbares. Il était d'une taille, d'une force et d'une adresse aux armes inégalées. Ses alliés le nommaient « le Lion », ses ennemis « le Diable ». Curieusement, il était aussi un lettré. Il avait été élevé par les prêtres et les maîtres d'armes, et il y avait en lui un mélange de savant et de meurtrier. Parfois sa brutalité se faisait pensive. C'était un fauve doué de raison.

Blaise me poussa en avant jusqu'à l'étrier gauche du roi qui se pencha, m'enleva d'une seule main et me tint un moment face à lui. Son visage, ses cheveux noirs et sa barbe grise étaient salis de poussière, de sueur et de sang.

Il avait une sorte de beauté épouvantable. Il me considéra pensivement, puis me retourna, me posa à cheval sur l'avant de sa selle, fit faire demi-tour à sa monture et redescendit vers le champ de bataille.

Nous avancions au milieu des cadavres et je vis alors que ce qui, de loin, donnait à la plaine une bizarre blancheur piquée d'ombres était la complète nudité des corps sur lesquels séchaient par places des filets de sang noir. Les visages des guerriers tombés au paroxysme de la haine et de la douleur étaient hideux à voir, masques grimaçants sculptés d'un coup de lame par la soudaineté de la mort. C'était comme la face expressive et multiple du chaos émergeant çà et là d'une mer de charogne taillée de plaies affreuses, abolissant tout ce que Blaise m'avait dit de l'homme, de l'intelligence de ses trouvailles, de la dignité de son esprit, de la noblesse de ses sentiments, de ses capacités de justice et d'amour. J'étais glacé jusqu'aux os. Je frissonnais. Mon grand-père posa sur mon épaule une main énorme et douce.

« Tu dois t'habituer, Merlin. Il n'y a que la guerre. »

Il arrêta son cheval au milieu de la plaine.

« L'empire est en train de mourir de sa *pax romana*. Des forces venues des âges obscurs sont en train de ruiner la plus grande civilisation que le monde ait connue. Parce qu'elle a oublié la guerre. J'ai été élevé par les

Romains, dans la sainte doctrine du Christ. Mais j'ai compris ceci : le pouvoir exige la férocité. Tout ce qui vit est à jamais en guerre. »

Les charognards arrivaient. Quelques avant-coureurs isolés, moins craintifs que les autres, survolaient le charnier de plus en plus bas, se posaient enfin sur un monceau de corps, loin de nous, sans cesser de surveiller la haute silhouette de l'étalon et de son cavalier, piquaient du bec, guettaient encore, puis, un peu rassurés par l'immobilité de cette seule vie debout au milieu de toute cette mort étendue, commençaient leur écœurant festin.

« Ils se sont bien battus, reprit le roi. C'était leur dernier combat. J'ai écrasé toutes leurs armées, comme je l'avais fait auparavant avec les Ordovices du Nord, dont l'ultime guerrier est mort à Deva. Souviens-toi de ceci : jamais de prisonniers. Les Silures n'ont plus d'hommes en armes. Je donnerai leurs femmes à mes Demetae. Cela cimentera les peuples. »

Cette victoire faisait de lui le seul maître des Galles. Il avait le projet d'attaquer Vortigern, l'usurpateur du puissant royaume de Logres, et de mettre Pendragon, fils de Constant, sur le trône dont il était l'héritier légitime. Il l'avait recueilli à sa cour, ainsi que son frère cadet Uther, vingt-cinq ans auparavant, après la mort de leur père et la prise du pouvoir par le chef de guerre de ce dernier. Il avait élevé les deux enfants pour en faire des alliés dociles et s'emparer, avec les armées des Galles et de Logres, de toute la grande île des Bretons, et même des terres de ceux qui, fuyant les alliés saxons de Vortigern, avaient établi des colonies dans l'Armorica gauloise, de l'autre côté de la mer.

« Tu seras mon successeur et celui de Pendragon. Et tu légueras à ta descendance tout l'empire d'Occident. Fais la guerre, Merlin. Fais la guerre pour conquérir, et fais la guerre pour conserver. Fais la guerre pour écraser tes ennemis, et aussi pour dominer tes peuples, car un sujet dont tu exposes la vie à tes côtés t'est plus fidèle qu'un sujet qui te doit sa prospérité dans la paix. Il n'y a que la guerre, Merlin. »

Il resta silencieux un moment. Je sentais son souffle puissant et calme sur ma tête. Puis il dit encore :

« Bats-toi en personne. Apprends les armes. Sois le meilleur guerrier de ton armée et bats-toi à sa tête. Sois ton propre chef de guerre. Le mépris de tes soldats est plus dangereux que l'acharnement de l'ennemi. Constant de Logres a mis Vortigern à la tête de ses troupes. Vortigern a trahi, et les troupes ont laissé faire. Il ne leur semblait pas qu'elles changeaient de maître. Cependant, place près de toi au cœur du péril tes guerriers les plus ambitieux et tes alliés les plus puissants. Ils défendront mieux ta vie en défendant la leur. Et s'ils sont tués... »

Il eut un rire.

« Les morts ne trahissent pas. »

Il fit faire volte-face à sa monture. Un sombre nuage de charognards prit son envol. Ils étaient à présent des bandes innombrables, arrivées furtivement. Nous revînmes jusqu'à la hauteur où Blaise attendait. Le roi me posa à terre et s'adressa à Blaise.

« Tu vas reconduire Merlin à Moridunum, avec une escorte. Tu le mèneras au palais de ma fille et tu les laisseras seuls. Il est temps qu'il rencontre sa mère et qu'il apprenne d'elle quelque chose de sa naissance. Demain j'investirai Carduel, la ville des Silures, dont je ferai la capitale de toutes les Galles et où j'établirai ma résidence. Tu m'y rejoindras avec ma fille et mon petit-fils. Je ferai alors de Merlin mon héritier, solennellement, devant toute ma cour. Va ! »

Il partit vers les collines où était son armée. La nuit était tombée tout à fait, et le brasier d'Isca jetait des lueurs sur quelque chose d'immense et de vivant, un grouillement noir, indistinct, sorte de linceul agité et sautillant qui s'étalait sur les cadavres. Les charognards étaient revenus.

Cela se passait en l'année quatre cent cinquante de Notre-Seigneur, qui est l'année mille deux cent deux de Rome. J'avais cinq ans.

« Blaise, pourquoi m'as-tu dit que ma mère était morte ? Pourquoi m'a-t-on enlevé à elle, puisqu'elle vit, et pourquoi vit-elle comme une morte, recluse ? Est-elle coupable d'un crime ou éprouve-t-elle pour le genre humain une haine si forte que tout commerce lui fait horreur ? Est-ce parce que je n'ai pas de père que j'ai été privé de mère ? Et ce crime, ou ce ressentiment, a-t-il son origine dans ma naissance ? Pourquoi est-ce que je lis la crainte dans les yeux de tous ceux qui me regardent, hormis dans les tiens et ceux du roi ? Tu m'as menti, prêtre ! Et ta foi d'homme de Dieu, ta science de sage, ton autorité de maître, ta dignité de vieillard, empoisonnées par ton mensonge, me deviennent suspectes.

– Je te prédis, Merlin, que tu seras un sage et un maître entre tous les hommes, un vieillard éternel, et un menteur. Je te prédis que ta clairvoyance et le désir du bien t'acculeront à mentir, non à toi-même, mais à autrui, aux aveugles, aux sourds, aux enfants et aux idiots. Car ils sont une pâte commune et amorphe dont on peut faire des saints ou des monstres, et le meilleur ciseau est bien souvent le mensonge. Tu n'aimes pas ce monde, et tu m'as dit vouloir en inventer un autre. Mais dans toute invention, il y a un leurre, et la recherche de la vérité même passe par l'illusion. Comment autrement persuader le faible qu'il a des droits, le fort qu'il a des devoirs, et tous deux que ces droits de l'un qui sont les devoirs de l'autre leur donnent le même poids et la même mesure ? Cela est une bonne loi, mais pas une loi vraie. La seule loi vraie, Merlin, est celle de ton grand-père. Quant à ce que tu appelles mon mensonge sur ta naissance, je me suis conformé à l'ordre du roi et surtout à la volonté de ta mère qui a été mon élève avant toi et qui est l'être au monde que j'aime le plus. Elle te révélera là-dessus ce qu'elle voudra. Et en ce qui concerne la crainte que tu inspires, je te dirai simplement ce que tu peux toi-même observer. Tu as appris dans les cinq premières années de ton existence ce que ta mère a mis vingt ans à apprendre, et moi toute une vie. Il y a là quelque chose de divin ou de diabolique qui inquiète le commun, effrayé surtout par les anomalies de l'esprit. Même nos lourds penseurs, nos sages banaux qui ne sont que l'écho laborieux de la profondeur et n'ont du docte que le déguisement, et je dirais surtout eux, te craignent et te haïssent, médiocres avides de croire à leur propre excellence et qui se plaisent à ne louer que leurs semblables. C'est ainsi que la nullité s'entretient elle-même. Tous ceux qui ont un pouvoir, si insignifiant soit-il, les brutes et les érudits, sont prêts à te lapider ou à te frapper d'ostracisme, et ils l'auraient fait si tu n'étais le petit-fils aimé du plus terrible des rois. Ta mère aussi a été l'objet de cette peur et de cette haine et, réagissant par le mépris, elle s'est volontairement coupée du monde. Mais si tu veux, toi, le transformer, Merlin, tu devras affronter ces roitelets de la matière et de l'esprit, les utiliser et, en les persuadant selon ton dessein qu'ils peuvent être plus qu'ils ne sont, sans doute parviendras-tu à les grandir. Le peuple te suivra, car s'il lui importe peu de comprendre, il aime croire. Cependant dis-toi que tous ont le souffle court, que le dépassement et la foi sont peu durables et aisément renversés par ce qu'on appelle la force des choses, qui n'est que le retour à la loi vraie. Voilà ce que je voulais te dire de mon mensonge, de la crainte des autres et de ta propre ambition, en souhaitant que ton vieux maître soit à présent à tes yeux un peu moins digne d'insultes. »

Je regardais ma mère pour la première fois. Elle était debout devant moi, haute et belle, avec, au milieu de la splendeur de ses vingt-cinq ans, cette acuité froide, cette autorité impérieuse que j'avais remarquées chez le roi. Elle m'observait elle aussi, silencieuse.

Puis elle me fit asseoir sur sa couche, et s'assit elle-même à une certaine distance. Elle se mit à parler d'une voix mélodieuse et retenue, avec parfois quelques altérations, quelques fissures dans l'aisance unie du ton qui laissaient filtrer on ne savait quelle puissante émotion enfouie sous une calme gravité de surface.

« Puisque, selon Blaise dont tu as épuisé le grand savoir en quelques années, ton esprit a atteint une maturité telle qu'aucune vérité ne peut l'effrayer, je vais, avec l'accord du roi, te révéler ce que tout le monde sait déjà et qui t'a été caché, à toi seul, jusqu'à présent. Il faut pour cela que je te dise quelque chose de moi, mère étrangère d'un étrange enfant que, malgré les rapports fréquents et précis de Blaise sur ta vie et ton éducation, je ne suis jamais parvenue à imaginer. »

Elle me considéra, songeuse. Puis, pour la première fois, elle sourit. Et à cet instant, je l'aimai.

« Tu sais déjà que je suis la fille unique du roi des Demetae. La reine n'ayant pu mettre au monde d'autres enfants, mon père a placé en moi son ultime espérance d'avoir un héritier mâle direct à qui laisser sa terre et ses conquêtes. Mais tout en me considérant, parce qu'il est homme et prince, comme une chair soumise propre à l'accomplissement de ses desseins, il a favorisé, parce que je suis le seul être, toi excepté, à qui il ait jamais montré de l'amour, mon goût de l'étude en me donnant un précepteur dont la science est fameuse dans tout l'Occident, et jusqu'à Constantinople. Ce faisant, il a contrarié sa propre autorité, car il m'a mise en position de lui résister. J'ai décidé très tôt de consacrer ma vie au savoir, et non à un époux, et j'ai rejeté par principe l'idée même du mariage, cette servitude. Je repoussai donc avec fermeté tous les prétendants qui s'offraient, y compris Pendragon, à propos duquel le roi se montrait particulièrement pressant, car une telle alliance devait faciliter son projet d'unification des royaumes bretons.

Son inquiétude et son irritation ne firent que croître avec le temps, jusqu'à atteindre un degré tel que je pensai qu'il me prenait en haine et qu'il allait me contraindre par la violence à accomplir sa volonté. Vint le jour du dix-neuvième anniversaire de ma naissance... »

Elle s'interrompit de nouveau, semblant hésiter à poursuivre.

« Ce jour-là, Blaise vint me trouver et il me dit : " Puisque tu refuses tous les hommes, et qu'il te faut cependant avoir un fils, tu dois le concevoir de l'étreinte d'un être surnaturel, c'est-à-dire Dieu ou Satan. Et comme Dieu a déjà fécondé Marie et envoyé son fils parmi les hommes, ce qui ne peut se faire qu'une fois, le père de ton enfant sera donc le Diable. Cela, tu ne peux le refuser, et ton orgueil, qui te fait mépriser les princes de ce monde comme ignorants et puérils, doit s'accommoder du prince de l'intelligence. Et ne crains pas d'engendrer un démon, car une telle conception est non seulement la volonté du roi, mais aussi celle de Dieu qui, ayant tiré de la boue sa créature la plus parfaite et la seule douée d'une conscience divine, saura tirer de l'abjection même de cet accouplement une créature encore plus parfaite et plus consciente. " Bien que terrifiée, j'acceptai. Blaise me dit alors : " Il viendra cette nuit même. Je te ferai prendre un breuvage qui endormira ta volonté et ton entendement. Tu laisseras ta porte ouverte et tu éteindras toutes les lampes, telle une vierge folle volontaire. Puis tu t'étendras nue sur ta couche. " Ce que je fis, et je sombrai bientôt dans un sommeil profond. Je me souviens seulement d'avoir senti sur moi un poids écrasant et en moi une douleur, puis d'avoir entrevu, avant de retomber dans le néant, une ombre immense debout, immobile et silencieuse, devant ma couche. Je me suis réveillée sanglante et souillée. C'est ainsi que tu as été conçu, Merlin, fils du Diable, mon fils. »

J'étais plein d'effroi. Dans mon esprit torturé apparaissaient les images d'un Satan tour à tour de feu et de nuit, hideux et splendide, cruel et pensif, usant à son gré, avec un mélange de violence et de douceur, du corps blanc et sacré de ma mère. Et soudain le tourbillon s'arrêta, et je vis nettement son visage. C'était celui du roi, mon grand-père.

Je ne savais si j'étais élu ou damné, si mon destin ferait de moi le premier ou le dernier des hommes. Je me sentais dans tous les cas exclu de leur société ordinaire, et j'éprouvais clairement l'oppression de la solitude.

« Dès ta naissance, mon père t'enleva à moi et te confia aux soins d'une nourrice dans son propre palais, car il tenait à assurer lui-même ton éducation de prince, avec l'aide de Blaise. Il ne voulut pas tenir l'événement secret, son intention étant de te déclarer son héritier légitime aux yeux du monde. Et d'ailleurs, à cause de l'indiscrétion de mes esclaves, une rumeur s'était répandue partout au sujet de ma grossesse, dont on se demandait si elle était simplement coupable, et dans ce cas je méritais la mort, ou surnaturelle, ce qui imposait qu'on s'en remît au jugement des docteurs de l'Église, qui décideraient de mon sort. Le roi organisa un procès public. Peu avant ma comparution, il vint me trouver et me dit de ne rien craindre, car il ne tolérerait pas qu'on me fît le moindre mal. Au procès, Blaise fut mon défenseur, et il soutint que je n'avais été qu'un instrument passif, ce qui était vrai, et inconscient, ce qui était faux, de la volonté de Dieu, dont le dessein était de faire naître du chaos un homme capable de vaincre le chaos. Et, soit que son éloquence les convainquît, soit à cause de la terreur que le roi leur inspirait, les juges me déclarèrent innocente et affirmèrent que ta naissance était la preuve de la victoire de Dieu sur l'intelligence révoltée, et de la suprématie absolue de la foi sur le savoir. Ainsi, en utilisant ces autorités hypocrites et asservies, le roi et Blaise ont-ils pu laver la souillure, mais non effacer une méfiance et une crainte sourde qui m'ont isolée au milieu d'un désert que peut-être tu habites déjà toi-même. Je me suis jetée dans l'étude, mais de nourriture elle était devenue un remède dont elle avait pris le goût d'amertume, et elle avait cet effet étrange, contraire à sa vocation, de me tenir éloignée de la vérité. Car, aussi incapable de croire que de savoir, j'ai fui dans la découverte de l'accessoire. Je ne sais plus qui est le roi, que j'avais pris pour un père. Je ne sais plus qui est Blaise, que j'avais pris pour la conscience du monde. Et je ne sais pas qui tu es, Merlin.

– Je suis ton fils, mère, et je t'aime. »

Elle s'approcha, me prit dans ses bras et m'étreignit avec force. Je sentais contre ma tête la douceur de ses seins et je respirais le parfum de son corps. A des tremblements qui parcouraient sa poitrine et ses membres, je compris qu'elle pleurait, silencieusement, et je ne pouvais connaître la signification de ces larmes qui me bouleversaient. J'étais submergé par une passion qui atteignait son plein aussitôt que née, dont je savais qu'elle ne me quitterait plus et où je voyais autant l'amour le plus pur qu'un désir violent me poussant à me fondre en elle, car mon esprit trop tôt mûri dans un corps d'enfant pouvait comprendre la nature de ces choses.

« Tu ne seras plus jamais dans un désert, car, voulant être pour toi tous les hommes, moi qui le suis si peu par essence et du fait de l'âge, je te prends pour mère et pour femme. »

Nous eûmes ensemble le repas du soir. Puis je regardai

ses esclaves l'apprêter pour la nuit. Et lorsqu'elle s'étendit sur sa couche, je me dévêtis et vins m'allonger à ses côtés. Et jusqu'à l'heure de l'aube où enfin le sommeil me terrassa, je touchai et caressai avec ravissement sa chair en murmurant sans me lasser ce mot de « mère » dont j'avais été privé jusqu'alors. Et elle me répondait avec tendresse, me couvrant de baisers et prononçant des paroles d'amour.

Désormais, je passai auprès d'elle toutes mes nuits, avec un esprit de fils et d'amant.

Les armées des Bretons et des Saxons, rangées en bon ordre, s'observaient dans un silence brisé seulement par le hennissement d'un cheval ou le tintement métallique d'une lame. Parfois la plaine brillait de mille feux jetés par l'acier réfléchissant le soleil, parfois terre et hommes se confondaient dans une demi-nuit, au passage d'une masse compacte de nuées sombres au cœur de laquelle un orage grondait sourdement. Tout, en haut et en bas, était plein de menaces.

« Cela va être une grande bataille, ô jeune prince, sage enfant, notre père à tous, me dit joyeusement Uther. Plaise à Dieu que le sort des armes ne soit pas aussi changeant que le ciel. Cette terre sera rouge ce soir, d'un rouge saxon, s'il ne tient qu'à moi. »

Et il rit. Uther, par-dessus tout, aimait se battre.

Le pays de Logres avait été presque entièrement

reconquis. Vortigern était mort, brûlé dans son palais de Londres. Dès le début de la guerre, la plus grande partie des troupes bretonnes de l'usurpateur, à l'annonce de la présence de Pendragon et d'Uther aux côtés de mon grand-père à la tête de l'armée d'invasion, avait rejoint celle-ci et acclamé comme leur souverain légitime le fils aîné de Constant. Mais Pendragon n'avait voulu recevoir la couronne que des mains du roi son protecteur. Au fil de la guerre, il s'était montré un chef excellent et un stratège avisé, et Uther un extraordinaire combattant, mais tous deux acceptaient sans murmurer l'autorité et les décisions de mon grand-père qui réunissait en lui, au plus haut degré, ces vertus militaires.

Les forces saxonnes que Vortigern, craignant un retour des fils de Constant et la défection de ses soldats, avait installées dans le sud du royaume et qui y avaient prospéré pendant plus de quinze ans, demeuraient intactes et s'étaient réunies pour affronter les armées des Galles et de Logres, dans la plaine qui se trouve à l'ouest de la cité de Venta Belgarum.

Mon grand-père leva son épée. L'immense ligne des cavaliers s'ébranla, suivie des hommes à pied. En face, les Saxons arrivaient tassés en fer de lance, comme s'ils voulaient percer le cœur de nos troupes où étaient les chefs. Ils poussaient de grands cris et hurlaient défis et insultes. L'approche méthodique et silencieuse des Bretons était plus terrible encore. Le roi leva une nouvelle fois son épée. Les cavaliers se dérobèrent. Laissant le bélier de l'attaque saxonne venir buter contre le mur des fantassins, ils se divisèrent en deux parties égales. Au grand galop, ils enveloppèrent l'armée ennemie jusqu'à se rejoindre derrière elle. C'était le filet du rétiaire contre le glaive du mirmillon. La tuerie commença.

Pendant plusieurs heures, l'encerclement se maintint. Les Saxons virent leurs premiers rangs taillés en pièces. La plupart des guerriers, enfermés au centre par leurs compagnons, étaient paralysés, incapables de se porter contre l'adversaire. Enfin les mailles du filet furent rompues en deux endroits. Un flot d'hommes, libéré de l'étau, s'écoula par ces brèches.

Mon grand-père et Pendragon, avec quelques centaines de Demetae à cheval, furent séparés d'Uther, qui était avec le gros de la cavalerie et la masse des hommes à pied. Les Saxons établirent entre ces groupes une barrière infranchissable. Ils se bornaient à repousser les offensives d'Uther, et réservaient toute la furie de leurs attaques aux deux rois ainsi isolés. Ceux-ci se trouvèrent bientôt en péril de mort. Les Demetae, assaillis par une nuée d'ennemis, se faisaient hacher sur place, sans reculer d'un pas. Pendragon se conduisait avec vaillance. Mais aucun combattant ne pouvait se comparer au roi des Galles. Sa grande épée brisait casques et boucliers, coupait les membres et faisait éclater les crânes, créant autour de lui, pour un instant, un vide sanglant bientôt comblé par une nouvelle vague d'assaut encore plus acharnée. Il était agile et puissant, infatigable. Il avait été touché plusieurs fois et chaque blessure, loin de l'affaiblir, semblait exaspérer sa fureur guerrière. C'était le Lion et le Diable, une vivante légende, et il tuait sans se lasser.

Soudain, Pendragon, le ventre percé par une lance, s'affaissa sur l'encolure de son cheval et glissa sur le sol. Mon grand-père sauta à terre, se plaça devant lui et continua le combat à pied. A cette vue, Uther, qui avait risqué cent fois sa vie pour se porter à leur secours sans parvenir à enfoncer les rangs des Saxons, se tourna vers ses troupes et leur cria :

« A moi, cœurs de lièvres ! On tue vos rois ! Ici, pourceaux ! Venez vous faire tailler, viande de lâches ! Vous, de Logres, qui avez servi trente ans un chien, mourez pour un homme ! Lavez la noire pourriture de vos âmes avec le rouge de votre sang, s'il n'est pas lui aussi corrompu par la trahison ! »

Et il se jeta avec une furie désespérée au milieu des lignes ennemies. Gardé à l'arrière par les plus fidèles

Demetae du roi, je fouettai brutalement mon cheval et, avant qu'ils parvinssent à le retenir, je le lançai dans la trouée ouverte par la charge d'Uther.

Un cri immense, poussé par les hommes des Galles et de Logres, occupa tout l'espace. Je les vis courir à l'ennemi avec une rage meurtrière décuplée par l'humiliation. Ce fut un raz de marée qui emporta tout. La panique se déclara dans les rangs saxons. Le combat se déplaça de plusieurs milles, dégageant le site où, dressé comme un rempart devant le corps étendu de Pendragon, se tenait mon grand-père.

Je restai seul en face de lui, au milieu d'un monceau de cadavres qui attestait la férocité de sa résistance. Il était horrible. Couvert de sang des pieds à la tête, il ne semblait tenir encore debout que par le fait d'une force inhumaine et d'une effrayante volonté. Sa tête oscillait comme celle d'un fauve blessé à mort qui, dans l'hébétude de l'agonie, ramasse une ultime énergie pour vivre un peu plus. A chaque spasme, une pluie rouge dégouttait de sa face, venant souiller l'herbe. Il planta son épée dans le sol et s'appuya sur elle.

« C'est trop tôt, murmura-t-il. L'ombre descend. Trop tôt. Il faut poursuivre. Promets-moi, Merlin.

– Je te le jure, père. »

Il me jeta un regard étrange et s'abattit, mort.

Mes gardes m'avaient rejoint. Ils entourèrent le cadavre du roi en pleurant, car ils étaient ses plus vieux compagnons et avaient été à ses côtés pendant tout son règne. J'étais le seul à ne pas verser de larmes et, dans le tumulte des sentiments qui m'assaillaient, je ne savais si j'aimais ou haïssais cet homme.

Pendragon vivait encore. Je fis transporter les deux rois sous une tente et laver leurs plaies. Celle que Pendragon avait au ventre était affreuse à voir. J'en cousis les lèvres béantes, mais je savais assez de médecine pour juger qu'il était perdu. Il ne proféra pas une seule plainte. Mon grand-père était tailladé de cent blessures par où, bien qu'aucune ne fût mortelle, la vie s'était enfuie avec tout son sang. Leur réseau rouge croisait les fils blancs de ses anciennes cicatrices. Et ce corps torturé et colossal, comme une parfaite machine de guerre enfin abattue, exprimait avec une hideuse conviction cette longue violence qu'avaient été ses jours.

Uther revint au crépuscule avec une armée épuisée et triomphante. Il avait écrasé les Saxons. Il pénétra sous la tente et contempla, muet et atterré, les deux rois gisant sur leurs couches. Pendragon le vit, nous fit signe de nous approcher et nous parla faiblement.

« Veillez l'un sur l'autre, et soyez l'un pour l'autre à la fois un fils et un père. Car l'un est un enfant par le corps, et l'autre par l'esprit. Unis, vous dominerez le monde. Uther, fais de Merlin ton héritier, comme je l'ai fait en recevant la couronne. C'était la volonté du roi. »

Il mourut peu après. Uther s'effondra sur ses genoux et se mit à pleurer amèrement, comme un orphelin solitaire. Et c'était une chose bouleversante de voir sangloter un aussi grand guerrier. Cela, vérifiant les paroles de Pendragon, le résumait : il était un enfant de trente ans, violent et généreux, en armes et en pleurs.

« Dès que la mort du roi a été connue des gens de sa famille, et qu'ils ont su que tu avais été proclamé souverain des Galles sur le champ de bataille, ils se sont assemblés dans le palais de Carduel, ne montrant aucun signe de deuil, mais au contraire un esprit de révolte et de trahison. Ils ont affirmé que le trône ne pouvait revenir à un enfant et à un être satanique, et ont désigné un neveu du roi comme son successeur. Celui-ci a décidé d'envoyer son propre fils ici, en ambassade, pour proposer au roi Uther une alliance et convaincre les troupes des Galles de reconnaître son autorité. Ils ont fait cela sans coup férir, car tous les fidèles de ton grand-père étaient à ses côtés dans l'expédition de Logres. J'ai pu m'enfuir, moi, un de ses plus vieux serviteurs, et j'ai chevauché tout le jour pour venir t'informer de ces événements.

– Qu’est-il arrivé à ma mère ? »

Le messager hésita, me jetant un regard apeuré, puis baissa la tête.

« Qu’est-il arrivé à ma mère ?

– Ils l’ont tuée, ainsi que son précepteur et le tien, le prêtre Blaise. »

Je sentis la main d’Uther se poser sur mon épaule.

« Ordonne aux armées de se préparer, lui dis-je. Que chaque cavalier prenne en croupe un homme à pied. Nous quittons immédiatement Venta Belgarum. Je veux que nous soyons à Carduel dès demain. »

Et je sortis de sa tente pour regagner la mienne d’où je chassai tous mes serviteurs, car je ne pouvais tolérer aucune présence.

Je chevauchai toute la nuit et la moitié du jour suivant à la tête des troupes, aux côtés d’Uther, sans prononcer un mot. Nous arrivâmes enfin devant Carduel. Les hommes et les bêtes étaient épuisés mais, sans leur accorder le moindre repos, je fis cerner la cité de sorte que personne ne pût s’enfuir. Puis, avec Uther et une partie de l’armée, j’entrai dans la ville. Les habitants s’étaient enfermés chez eux, craignant les exactions des soldats. Ils n’avaient en rien participé à l’usurpation, mais devaient redouter de ma part, à cause de leur passivité, une vengeance que je ne songeais pas à tirer d'eux, car toute ma haine était tournée contre ma propre famille.

Nous parvînmes ainsi, à travers une ville morte, jusqu'au palais. La garde royale laissée à la cour par mon grand-père, composée uniquement de Demetae au nombre de cinq cents, vint déposer les armes et se soumettre. Je la fis massacrer jusqu'au dernier homme. Pas un seul ne résista ni n'émit la moindre plainte. Tous s'offraient aux épées de leurs frères qui les égorgeaient comme du bétail avec une répugnance montrant qu'ils auraient préféré le combat. Cela se passa très vite, dans un silence épouvantable troublé seulement par le bruit mou des lames pénétrant la chair et des corps s'effondrant sur le sol.

Je fis investir le palais et rechercher tous ceux qui s'y terraient. Bientôt l'usurpateur en sortit avec ses parents et ses alliés. Il y avait une trentaine d'hommes, autant de femmes et de nombreux enfants. Lorsqu'ils virent les cadavres des soldats de la garde, ils montrèrent tous les signes de la peur et du désespoir, comprenant qu'ils ne devaient espérer aucune pitié. Leur chef, livide, s'avança vers nous. Sa frayeur, qu'il tentait de dominer, était abjecte à voir.

« Fils du Diable, s'écria-t-il, si tu ne tiens pas pouvoir et savoir de ton père, mais de Dieu qui nous a ordonné le pardon, épargne nos vies. Ta miséricorde te lavera à jamais de tout soupçon aux yeux du monde, tandis que notre mort ne fera que nous donner raison contre toi. Aussi, grâce, Merlin ! Grâce ! »

Des huées se firent entendre dans l'armée. Je me tournai vers Uther dont le visage exprimait dégoût et mépris, et lui dis :

« Envoie en exil les femmes et les enfants. Veille à ce qu'il ne leur soit fait aucun mal. Ils ne doivent pas être séparés. Quant aux hommes, tue-les tous. »

Je pénétrai dans le palais et arrivai devant l'appartement de ma mère. Blaise défunt montait la garde. Il avait été cloué sur la porte. Il y avait encore dans ses yeux grands ouverts, voilés par la mort, une trace d'ironie que démentait la grimace de sa bouche tordue par la souffrance, figée dans un interminable cri d'agonie. Lorsque je poussai le battant, il parut s'effacer pour me laisser entrer. Ma mère gisait sur le dos, au pied de sa couche. La blancheur de sa peau diaphane se confondait avec celle de son vêtement souillé en son milieu d'une large tache noire de sang séché qui s'étalait aussi sur le sol en une plaque durcie auréolant ses hanches. Je m'avançai et regardai son visage doux et altier, dont la splendeur était à peine altérée par ce travail hideux et sournois de la mort qui conduit tout être à la dissolution et à l'oubli, et qui commençait. Je vis aussi, au centre de la tache noire, quelque chose qui émergeait d'entre ses cuisses. C'était la poignée d'une épée enfoncée jusqu'à la garde, atrocité qui tenait à la fois du meurtre et du viol. C'était sa seule blessure, et sans doute l'avait-on fait périr ainsi pour la punir de m'avoir mis au monde. Je saisis l'arme, la retirai avec un hurlement de douleur, comme si je l'arrachais à ma propre chair, et la jetai au loin. Une pestilence liquide coula de la plaie. Je lavai ma mère avec soin et changeai son vêtement, choisissant le plus riche que je pus trouver. Puis je la hissai sur la couche. Je m'assis auprès d'elle et restai là, à la contempler, l'appelant inlassablement à mi-voix, avec un amour mêlé de scandale, comme pour la faire revenir des terres froides de la mort dans ce monde encore plus froid où elle m'avait laissé solitaire.

Je m'aperçus soudain que je la voyais à peine, parce que la nuit était tombée. C'était déjà une manière d'effacement qui me terrifia. Alors cette disposition étrange qui m'avait fait agir et penser comme séparé de moi-même et qui, amoindrissant ma conscience des choses ou plutôt de leurs effets, m'avait épargné le plus aigu de la souffrance, me quitta. J'éprouvai d'un coup toute la cruauté du réel et j'entrai dans un enfer. Je me jetai sur le corps de ma mère, l'étreignant convulsivement, et me mis à sangloter et à crier sans retenue, avec désespoir, comme seul peut le faire un être à l'aube de sa vie trop tôt broyé par les deuils.

C'est ainsi que le monde s'écroula une première fois. J'avais neuf ans. Je me sentais un enfant et un vieillard.

« Uther, le sang confondu des Galles et de Logres les a soudés non par l'alliance, l'amour et la fécondité, mais par le meurtre, la guerre et la mort. Et nous sommes, toi et moi, les seuls survivants bâtards de ce funèbre mariage. Nous sommes héritiers de deux fois deux familles composées des mêmes êtres associés différemment, selon qu'il s'agit de la race ou de l'esprit. Car, frère de Pendragon, tu es par nature et par mentalité la continuation de mon grand-père, et moi, descendant de ce roi terrible, je suis plus proche de Pendragon qui partageait avec ma mère, selon l'enseignement de Blaise, cette idée que le vrai pouvoir repose davantage sur la connaissance que sur la force. Cependant l'une ne peut rien sans l'autre, et l'autre, sans la première, finit par se détruire elle-même. Je ne suis pas un homme de guerre. Je n'en ai ni l'âge ni le goût. Et toi, le plus grand guerrier de l'Occident depuis la mort du roi, tu n'es pas un homme d'État, car on peut conquérir un monde sans pour autant être capable de le construire. Aussi devons-nous être, suivant ainsi le sage conseil de Pendragon, un roi à deux têtes. Mais comme aux yeux de la multitude il ne faut qu'un seul souverain, tu seras celui-là. Je te donne les Galles. Logres agrandi, baigné par deux mers, celle des Irlandais et celle des Gaulois, sans rival parmi les royaumes bretons, pourra s'étendre encore et réaliser le rêve d'unification du roi, et aussi le mien, qui est différent.

– Mais, Merlin, puisque le roi, Pendragon et moi-même avons fait de toi notre commun héritier, pourquoi ne règnes-tu pas dès à présent ? Je serai ton chef de guerre. Je me battrai, tu construiras, et nous suivrons ainsi chacun notre destinée. Il me semble que, le pouvoir ne valant rien sans la durée, il doit revenir au bâtisseur patient plutôt qu'au conquérant éphémère.

– Non. Mon grand-père avait raison. Le roi doit être son propre chef de guerre. Et puis les hommes ne peuvent obéir qu'à l'un des leurs. Dans l'esprit de tous, je n'en suis pas. Ils ont peur. Pas cette sorte de peur qui engendre la fidélité, mais celle qui engendre la défiance et la haine.

– Si tu renonces au trône, qui régnera après moi ?

– Un homme nouveau. Un homme de guerre, assez puissant et redouté pour pouvoir établir la paix et mettre fin à cette tuerie commencée dès l'aube de la terre. Un homme d'État, assez réfléchi pour être philosophe, assez habile pour persuader les autres qu'ils pensent ce qu'ils ne pensent pas, qu'ils veulent ce qu'ils ne veulent pas, assez intègre pour gagner le respect de ses pires ennemis. Un homme de savoir, assez universel pour utiliser au mieux ceux qui savent avec précision, mais sans grandeur d'esprit, et à qui il fera bâtir, avec leurs petites pierres isolées, un édifice gigantesque et harmonieux. Un homme de justice, assez miséricordieux pour être aimé. Un homme qui puisse enfin réconcilier Dieu avec Satan, c'est-à-dire l'esprit avec lui-même. Un homme que je dois inventer en même temps que le monde, sous peine de voir celui-ci mort-né, parce que désert. Ce sera ton fils, Uther. Mais pour que ce qui n'est encore qu'un songe devienne réalité, il faut que tu t'engages ici à me le confier dès sa naissance et à m'abandonner tous les droits de la paternité, les responsabilités de l'éducation, les privilèges de l'affection.

– Pourquoi ne fais-tu pas un tel homme de ta propre descendance ?

– Je n'aurai pas de descendance. Crois-tu que le monde considérera d'un œil différent le fils du Diable et son petit-fils ? Allons, feras-tu le serment que j'exige de toi ?

– Je te fais ce serment, Merlin, sur l'âme de mon frère Pendragon. Et que la mienne soit damnée si je me parjure. »

Je fis enterrer les corps de ma mère, de mon grand-père et de Pendragon à l'endroit que les Saxons nomment Stanhenges, au nord de la plaine où les deux rois avaient trouvé la mort. Les peuples des âges obscurs y ont dressé d'énormes pierres en cercles, et cet entassement, dont je faisais un mausolée, devait laisser à jamais dans la mémoire des hommes la trace de ces trois morts. Blaise fut inhumé dans la terre des Demetae.

Devant les armées assemblées, Uther fut proclamé roi de Logres et des Galles. Pour m'honorer, il déplaça sa capitale de Londres à Carduel, et pour célébrer le souvenir de son frère, il prit le nom d'Uther-Pendragon.

Il entreprit immédiatement ses guerres de conquête. Je fus à ses côtés, et son règne, qui était aussi le mien, commença.

Il neigeait. La forteresse blanchissait peu à peu, ainsi que la cité en contrebas. A l'intérieur de l'enceinte, des hommes en armes allaient et venaient, s'occupaient des chevaux, formaient des groupes frileusement rassemblés autour des feux. Depuis une chambre de la tour surplombant la porte principale, je regardais une file de cavaliers, longue et noire, avancer avec lenteur sur le fond immaculé d'une campagne où reliefs et couleurs s'effaçaient sous l'action paisible et obstinée de l'hiver.

Les cavaliers furent rejoints par plusieurs de nos patrouilles. Ils parlementèrent. Bientôt, encadrés par les guerriers de Logres, ils poursuivirent leur route, tandis qu'un homme se dirigeait à bride abattue vers la forteresse. Je me retournai et dis à Uther :

« Une ambassade des Brigantes. »

La guerre durait depuis quatre années. Uther, partout

victorieux, avait conquis les terres des Cornovii, des Coritani et des Iceni, qui bordent les marches septentrionales de Logres, et celle, plus lointaine, des Parisii. Là, il avait pris ses derniers quartiers d'hiver à Eburacum, restaurant sur mon conseil l'ancienne forteresse romaine, d'où il s'apprêtait à envahir le vaste pays des Brigantes, qui s'étend jusqu'au mur d'Hadrien.

Le soldat entra, s'inclina et dit :

« Le roi des Brigantes et le roi d'Orcanie demandent audience. »

Uther lui fit un signe d'assentiment et il se retira. Peu après, deux hommes pénétrèrent dans la pièce. L'un était un puissant guerrier, presque aussi haut et fort qu'Uther. L'autre était très jeune. Ils me regardèrent avec curiosité. Le premier prit la parole :

« Roi Uther, et toi, enfant, qui dois être ce Merlin dont tout le monde breton parle, je suis Leodegan des Brigantes, et voici le prince Loth d'Orcanie. Il est mon allié contre les Calédoniens de Gorre et les Pictes, qui sont aussi vos ennemis. Nous venons ensemble vous proposer un traité de paix et d'amitié, pour éviter une guerre sanglante et stérile. »

Uther les considéra longuement. On ne pouvait lire sur son visage aucun sentiment. Enfin, il répondit :

« Allez vous restaurer. Dans peu de temps, je vous ferai chercher pour vous donner ma réponse. »

Dès qu'ils furent sortis, Uther me dit avec humeur :

« En ce qui concerne l'alliance avec Loth, je n'y vois pas d'inconvénient. Sa terre est trop lointaine et trop étroite pour m'intéresser, et un accord avec un ennemi des Pictes est toujours bon à prendre. Mais Leodegan possède un grand royaume touchant au mien, que je pourrais aisément annexer par la force, étendant ainsi Logres jusqu'aux limites de l'ancien empire. Cette offre d'amitié venant d'une proie m'embarrasse, et la paix proposée au loup par l'agneau est nécessairement suspecte. Mais il semble bien que je ne puisse pas conclure d'alliance séparée. Après tout peu importe. Les forces de Loth ne pèseront pas lourd dans la balance et, encore une fois, si l'éloignement et l'exiguïté de sa terre en font un allié plus utile qu'un assujetti, ils en font aussi un ennemi peu gênant.

– Accepte l'alliance. »

Uther, au bord de la colère, se mit à marcher nerveusement dans la pièce. Mais peu à peu il s'apaisa et me dit avec un sourire exprimant un mélange d'affection et de contrariété :

« Je m'en remets à toi, Merlin, bien que tu me prives de la joie d'une bataille et d'une victoire certaine. »

Il fit rappeler les deux rois et je leur dis :

« Nous traiterons aux conditions suivantes : toi, Leodegan, assuré au sud d'une paix durable, tu entretiendras le long du mur d'Hadrien, face à Gorre, une armée nombreuse et bien équipée, prête à repousser toute agression, et même à constituer le fer de lance d'une attaque lorsque nous déciderons de passer le mur et d'écraser nos ennemis. Toi, Loth, tu t'engageras à harceler les Pictes de façon à entretenir chez eux une insécurité les dissuadant de se livrer à leurs habituelles expéditions de pillage et les obligeant à penser à la défense de leur propre sol. Nous renforcerons ta flotte de guerre. »

Leodegan et Loth acceptèrent, et le traité fut conclu. Je décidai en outre de laisser à Eburacum des troupes composées de Cantiaci de Logres et d'auxiliaires Ordovices des Galles, pour porter secours à Leodegan en cas de nécessité, ou s'opposer à lui en cas de trahison. Puis nous prîmes le long chemin du retour.

Uther-Pendragon possédait ou dominait à présent toute la terre s'étendant au sud du mur d'Hadrien, à l'exception de Dumnonia, immense péninsule située à l'extrême sud-ouest de la Grande Bretagne. Il comptait s'en emparer, après un court repos dans sa capitale. Mais le roi des Dumnonii, qui avait prévu ses intentions et ne tenait pas à affronter un invincible adversaire, l'attendait à Carduel où il était venu avec sa cour et sa famille pour lui proposer solennellement une alliance, montrant avec une tapageuse ostentation sa bénignité et son amour pour le roi, de telle sorte que celui-ci ne pût refuser une paix offerte avec tant de bonne grâce, sinon de sincérité. Cette démarche mit Uther en fureur, et cette fois je partageais son sentiment, car, outre que le problème stratégique qui s'était posé dans le Nord n'existait pas ici en raison de la proximité de Carduel et de Dumnonia et de l'absence complète de peuples hostiles dans la région, la personnalité de ce souverain, connu pour son opportunisme, ses intrigues et le peu de valeur qu'il accordait à la parole donnée, me déplaisait, alors que Leodegan et Loth m'avaient semblé hommes d'honneur.

« Le langage de ce chien sonne faux, me dit Uther après une première entrevue. Il a été depuis le début de son règne l'allié de Vortigern, qu'il a d'ailleurs abandonné lorsqu'il a compris que ton grand-père devait triompher, et ses offres mielleuses de paix me frustrent d'une vengeance et d'une terre. Mais je ne tomberai pas dans son piège. Je vais l'insulter publiquement et le forcer ainsi à la guerre.

– Cela serait maladroit et pourrait paraître arbitraire aux yeux des chefs bretons nouvellement soumis ou ralliés.

– Ai-je besoin, étant le plus fort, d'accorder le moindre poids à leur opinion ? Ah, Merlin, le monde de ton grand-père était plus simple que le tien, et me convenait mieux. En tout cas, ne me demande pas de me rabaisser au niveau de cet histrion, et de répondre hypocritement à ses propositions hypocrites. Cela n'est pas dans ma nature, et j'ai plus envie de lui passer mon épée au travers du corps que de lui donner le baiser de paix.

– Il faut que lui-même te déclare la guerre, pour une raison telle qu'elle fasse taire en lui toute ruse et toute prudence.

– Voilà un projet, dit Uther en riant, qui me semblerait creux et déraisonnable, venant d'un autre que toi. Et en attendant, que dois-je lui dire ?

– Dis-lui que tu exiges un délai, nécessaire pour qu'il montre des preuves irréfutables de sa loyauté, car tu ne peux te fier immédiatement et en aveugle à un homme qui a été si longtemps allié au pire ennemi de ta famille.

– Cela, je peux l'accepter sans honte. Qu'il en soit ainsi. »

Il s'éloigna.

« Uther !

– Oui ?

– Regarde bien sa femme, la reine Ygerne.

– Pourquoi donc ?

– Regarde-la.

– Très bien, Merlin, je la regarderai. »

Le soir, il y eut des réjouissances sur les places publiques et Uther donna, dans la plus grande salle du palais, un festin auquel il avait convié les chefs et les notables des différentes *civitates* de son royaume se trouvant alors à Carduel, ainsi que les ambassades de l'étranger. Il avait fait placer le roi de Dumnonia et sa suite à la table la plus éloignée de la sienne, pour marquer sa réserve et sa défiance. Lorsque celui-ci arriva, son visage se crispa un court instant devant cet outrage délibéré, mais il se recomposa aussitôt une mine avenante.

Quand la reine Ygerne parut à son tour, le silence se fit. Elle était si belle et si noble qu'elle suscitait immédiatement l'admiration et le désir. Le regard d'Uther se fixa sur elle pour ne plus la quitter.

« C'est, me dit-il, le mariage de la lionne et du chacal.

– Et je suppose que tu te sens lion dans ton cœur et tes entrailles ?

– Comme tu le voulais, sage Merlin.

– Comme je le voulais, obligeant Uther. »

Dès lors, Uther courtisa ouvertement et sans relâche Ygerne, et il y eut par suite entre Logres et Dumnonia une guerre qui dura toute l'année quatre cent cinquante-neuf. Dès la première bataille, la famille du roi fut capturée, mais lui parvint à s'enfuir et à se réfugier, avec les débris de son armée, dans sa forteresse de Tintagel, réputée inexpugnable. Uther posséda Ygerne, et Arthur fut conçu. Le siège de Tintagel fut long et difficile. Au cours du dernier assaut, Uther tua le roi, et la garnison se rendit.

Le pays des Dumnonii fut rattaché à Logres. Uther adopta les deux filles du roi et d'Ygerne : Morcades, qui avait alors trois ans et qu'il promit en mariage à Loth d'Orcanie pour consolider leur alliance, et Morgane, âgée de deux ans. Il épousa Ygerne enceinte de cinq mois.

Arthur naquit au printemps de l'année quatre cent soixante et, fidèle à son serment, Uther me le confia. Je lui donnai une nourrice et l'installai, à l'écart de la cour, mais à peu de distance, quelques heures de cheval, dc sorte qu'il me fût possible de m'y rendre à tout moment, chez un homme humble et droit, Auctor, qui m'était tout dévoué. Il vivait non loin de la belle et puissante forteresse de Camelot, dans le pays des Durotriges, province occidentale de Logres qui barre la terre où la péninsule de Dumnonia se rattache à la Grande Bretagne. Il était veuf et avait un fils du nom de Kay.

Et je fus, à l'âge de quinze ans, une sorte de père ayant à aimer un enfant, à éduquer un roi, à inventer un homme.

La Table Ronde occupait toute une salle du palais de Carduel. Elle était lourde et massive, en cœur de chêne. Les planches épaisses, polies avec soin, si bien ajustées que leur jonction était à peine perceptible, reposaient sur une armature de poutres gigantesques dans lesquelles étaient fixés les pieds semblables à de courtes colonnes ouvragées. Les plus habiles charpentiers de Logres y avaient travaillé de longs mois, sous ma direction, la montant dans le lieu même où elle devait rester, car elle était si grande et si pesante qu'on ne pouvait la déplacer. Cinquante sièges étaient disposés autour d'elle.

Cinquante et un hommes se tenaient dans la salle de la Table Ronde. Il y avait trois rois, Uther, Leodegan et Loth, et quarante-sept chefs bretons venus de toutes les *civitates* de Logres. Des Demetae, des Ordovices et des Silures, qui étaient des Galles, à l'Ouest. Des Dumnonii du Sud-Ouest. Des Durotriges, des Belgae et des Regnenses du Sud. Des Dobunni, des Catuvellauni et des Atrebates du Centre. Des Cornovii, des Coritani et des Parisii du Nord. Des Cantiaci, des Trinovantes et des Iceni de l'Est, ainsi que des gens de Londres, appelée aussi Augusta, siège de l'ancien *vicarius* romain et première capitale de Logres.

J'étais le cinquante et unième.

« Rois et chefs, leur dis-je, vous avez été choisis pour siéger à cette table parce que vous êtes des hommes de pouvoir. Mais vous ne savez rien, ou presque, du pouvoir. Vous n'en connaissez que les causes simples, vaincre ou être vaincu, et les effets élémentaires, l'autorité ou la servitude, la possession ou la privation, la jouissance ou la mort. Les bêtes sauvages en savent autant, et en cela vous ne vous distinguez pas d'elles, car la conscience qui a été donnée à l'homme ne vous sert qu'à aggraver, par les calculs de l'intelligence, la férocité naturelle et universelle, ce qui fait que la domination, l'agressivité, l'antagonisme, la ruse, la chasse et le meurtre, qui sont les lois de la matière, deviennent le despotisme, la cruauté, la haine, la trahison, la guerre et le massacre, qui sont les lois de l'esprit au service de la matière. Mais vous avez été choisis aussi parce que vous passez pour justes et loyaux aux yeux de vos peuples et que, enfants hybrides du chaos et de la pensée, à cause de ce qu'il y a en vous d'ordre divin enfoui dans l'arbitraire et la violence, vous pourrez peut-être établir un nouveau pouvoir, un pouvoir qui ne sera plus au service de l'homme qui le détient, mais au service de l'homme en général, et qui fera plier le roi lui-même, quels que soient ses vertus et ses vices. La guerre ne fait que commencer. Mais ce n'est plus la guerre d'une ambition contre une autre. C'est la guerre du droit contre la force, de la lumière contre l'obscurité, de l'esprit contre la nature, de Satan contre l'ignorance et de Dieu contre sa propre création. Vous êtes des instruments de mort, et je ferai de vous des instruments d'éternité. Vous êtes la nuit, et vous serez un jour sans fin. Vous êtes le tumulte, et vous serez la loi. Vous êtes le vide, et vous serez le sens du monde et sa conscience. Vous êtes l'âge de fer, et vous préparerez la venue d'un âge d'or qui selon moi n'a jamais été, mais qui, par vous, pourra être. Vous serez tout cela parce que, dès à présent, vous êtes la Table Ronde. »

Arthur et Kay s'affrontaient avec de légères épées de bois. Le premier, qui n'avait que cinq ans, élancé et agile, touchait bien souvent avec précision et rapidité le second, âgé de huit ans, lourd et massif, un peu lent, qui frappait sans penser, à la manière d'un bûcheron. En Arthur se dessinaient déjà le corps long et puissant de son père et la beauté d'Ygerne dont il avait l'ovale parfait du visage, le teint clair et les yeux bleus, la chevelure abondante et sombre.

Kay, agacé par cette supériorité aisée de l'enfant, perdit toute mesure et porta un coup latéral si violent que son adversaire, bien que parvenant à y opposer son épée, ne put le bloquer et fut douloureusement atteint au bras. Il n'émit pas une plainte, mais on voyait qu'il avait quelque peine à tenir son arme.

« Cessez, dit Auctor. Kay, une fois encore tu abuses de

ta force, ce qui revient à montrer cette faiblesse d'âme qu'est le débordement d'une vanité offensée. Car le précoce talent d'Arthur, au lieu de t'inspirer, t'humilie et te conduit à transformer ce jeu d'adresse en un affrontement brutal et personnel. Va-t'en, et ne reparais pas devant moi avant le soir. »

Kay s'excusa auprès d'Arthur qui lui pardonna volontiers, et s'en alla, penaud.

« Il n'est pas méchant, reprit Auctor en se tournant vers moi, mais ombrageux et irréfléchi.

– Ce n'est rien, Auctor. Et même ce que tu appelles la faiblesse d'âme de ton fils n'est pas inutile, si elle contribue à entretenir la fermeté de celle d'Arthur.

– Il n'est pas toujours aisé d'être un simple instrument, Seigneur, quelle que soit la grandeur du but. Je suis aussi un père, et Kay m'inquiète parfois. Ne pourrait-il bénéficier, si peu que ce soit, de l'enseignement que tu prodigues à Arthur ?

– Kay aura dans Logres une position enviable, probablement au-dessus de son mérite. Cependant cette faveur n'est pas telle qu'elle puisse lui valoir une éducation de roi, et encore moins l'éducation de ce roi en particulier. C'est une alchimie délicate qui ne tolère pas de corps étranger. Sinon pourquoi aurais-je éloigné Arthur de la cour ? Tu dis être un père, Auctor ? Soit. De plus tu es sage et bon. Alors élève ton fils, et ne m'importune pas. A présent, laisse-nous. »

Après son départ, Arthur me dit d'un ton de reproche :

« Auctor m'aime. Et Kay aussi, malgré son emportement. Ils sont pour moi comme un père et un frère.

– Ils ne sont que tes gardiens, Arthur. Uther et Ygerne sont ton père et ta mère par le sang, et moi ton père par l'esprit. Ce genre de partage n'est pas nouveau dans la courte histoire de Logres et des Galles. L'affection d'Auctor t'est sans doute nécessaire, mais elle est assez neutre pour ne pas influencer ton destin.

– Est-ce pour cela que tu m'as enlevé à mes parents ?

– Oui, Arthur. Car si on veut dominer un esprit de telle sorte qu'ensuite il se domine lui-même, il ne faut pas l'éduquer au milieu des passions. Ton père est un grand roi, mais chez lui on ne peut dissocier la générosité de la violence, la sagesse de la folie, le calcul de l'impulsion, et je ne pouvais prendre une part de lui pour te l'offrir en exemple, et rejeter l'autre, qui a son attrait sauvage, pour la cacher à tes yeux. A cause de cela, quoique grand, il n'est pas le roi qui convient au monde futur, ce qui précisément est ton destin. Un roi actif et songeur, car sans l'action le songe est creux, et sans le songe, frère de l'idéal, l'action est vaine. Un roi qui pourra susciter les passions sans jamais en éprouver lui-même, car dans passion, il y a soumission, et un roi ne se soumet qu'à sa propre conscience. Pas aux sentiments. L'amour est sans doute ce qu'il y a de plus haut dans l'homme, le principe même de la vie et le sens confus du monde. Mais comme tous les sentiments, il est fugitif et imprévisible. La justice n'est pas un sentiment, mais une loi. Et le rôle du roi est de penser la loi, pour l'éternité.

– Je ne suis pas sûr de comprendre tout cela. Et cependant, si c'est mon destin, je l'accepte. Mais ma mère, pourquoi suis-je séparé d'elle ? Comment est-elle, Merlin ? Ne peux-tu au moins me la décrire ? »

Brusquement je n'eus plus devant moi l'avenir de Logres et la grandeur future de la Table Ronde, mais un enfant solitaire. Et cela m'émut, me rappelant une amertume ancienne, une révolte semblable contre Blaise, et ma découverte, à l'âge d'Arthur, du paradis blanc des bras maternels.

« Elle me demande de lui parler de toi, tous les jours. Tu la verras bientôt. Bientôt et souvent. A présent, veux-tu que nous allions chasser ? »

Il souriait. Il était d'une beauté rayonnante, et je ne voyais, parmi les enfants des hommes, qu'un seul être qui le surpassât : sa demi-sœur Morgane.

« Pourquoi faut-il mourir, Merlin ? »

Morgane était assise au pied d'un arbre, arrangeant distraitement sur le sol une cueillette de plantes médicinales. Ses yeux immenses, dont l'éclat vert se faisait parfois insoutenable, étaient perdus dans un songe, exprimant une maturité aggravée de mélancolie qui contrastait, chez cette petite fille de sept ans, avec les doux et ravissants inachèvements de l'enfance.

Nous étions dans la pénombre d'un sous-bois. Par une large trouée dans la végétation qui descendait en pente douce vers la côte, on pouvait voir les murs de Carduel baignés par la lumière du soleil d'été et, plus loin, le profond bras d'eau qui sépare la terre des Silures de celle des Belgae et s'évase vers l'ouest jusqu'à se perdre dans la mer des Irlandais.

« Pourquoi faut-il mourir ? répéta Morgane. Je suis si

petite et pourtant je sens la fuite du temps et la fin, tant la vie est courte.

– La fin d'une vie n'est pas la fin des temps, Morgane, et la mort d'un homme n'est pas la mort de l'homme.

– Que m'importe, à moi, que l'homme dure ? dit-elle avec colère. Ce qui compte est moi, et non l'homme. Je le déteste. C'est un esclave qui se résigne à son sort, acceptant pour se rassurer toutes les sottises sur l'éternité que lui servent les illuminés et les charlatans. Ces sornettes d'après la mort, avec un paradis ou un enfer dans le ciel, sous la terre et je ne sais où encore, et des dieux grotesques ou vains comme ceux des Grecs et des Égyptiens, cruels comme ceux des Phéniciens ou des Carthaginois, absents comme celui des juifs ou bien fous comme celui des chrétiens. Une cohue de dieux qui ne révèlent que la sottise, la folie ou la perversité de leurs inventeurs. Crois-tu que je me satisfais, moi, Morgane, d'être continuée par cet homme-là, dont la seule permanence est celle de sa stupidité ? La fin d'un être est pour lui-même la fin de toute chose, et la mort ne peut être ces contes ridicules, mais la peur, le froid et la nuit.

– Il faut essayer de construire avec son esprit et ses mains un rempart contre le froid et la nuit, un édifice dans le vide. Il faut essayer, sans relâche. C'est le devoir absolu de l'être qui a reçu en partage la conscience, l'imagination et la prévision. Si cette tentative engendre sottise ou folie, qu'importe. Et il faut vaincre la peur. C'est une question de dignité. La permanence de l'homme que tu méprises n'est autre que la permanence de cet état d'âme. C'est cela, le lien et l'héritage des individualités naissant et mourant dans une solitude que tu redoutes. C'est cela, et non la permanence d'une seule chair que tu désires inchangée, d'un seul esprit que tu souhaites à jamais intact, même si cette chair et cet esprit additionnés de fatuité et d'orgueil appartiennent au petit être le plus beau, le plus subtil et le plus indiscipliné qui soit sous le soleil. Et sans doute n'est-il pas outrecuidant de demander, même à une telle merveille de la création, un peu de cette dignité dont je parlais. »

Elle sourit et fit une grimace à ce compliment sévère. Puis elle parut replonger dans ses pensées. Elle me dit soudain :

« J'ai rêvé une théorie du soleil.

– Je suppose que tu tiens Ptolémée pour un piètre exemple d'humanité, et sa *Géographie* pour un tissu d'erreurs ?

– Oui et non. Je crois comme lui que la terre est ronde, parce que l'horizon est limité mais recule à mesure qu'on veut l'atteindre, et que sur une sphère, même petite, on peut parcourir un chemin qui ne finit jamais. De sorte que notre monde peut être infini à nos yeux et sous nos pas, et insignifiant dans notre esprit. Il l'est dans le mien. Car selon moi, ce n'est pas lui le centre de l'univers, mais le soleil.

– Comment es-tu arrivée à cette conclusion ?

– A partir de nos entretiens sur l'astronomie. Je crois que tu partages cette opinion, parce que tu as plus insisté sur les contradictions du système de Ptolémée que sur sa cohérence apparente, même si tu m'as présenté cette cosmologie appuyée sur la philosophie d'Aristote comme plausible, bien qu'avec réticence, pour ne pas jeter l'effroi dans mon esprit. Et cependant je suis parvenue à l'effroi par le raisonnement. J'imagine que les corps célestes tournent tous, à des distances et des vitesses différentes, autour du soleil qui est le cœur fixe de l'univers, de même que les hommes se regroupent et évoluent autour d'un foyer central, chacun selon ses besoins propres de mouvement, de lumière et de chaleur. Et la terre, que Ptolémée tient pour le centre de toutes les choses, n'échappe pas à cette loi et se trouve ainsi être un monde parmi d'autres. Elle fait le tour du soleil en un jour, dans un sens tel que celui-ci paraît se lever à l'orient et disparaître à l'occident. Cette révolution horizontale s'accompagne d'un déplacement vertical beaucoup plus lent et court, un va-et-vient dont le milieu est le temps des équinoxes, les limites celui des solstices, et le cycle entier dure une année. Cela explique les saisons, les variations du parcours du soleil dans le ciel et celles de la longueur des jours et des nuits. La lune aussi tourne autour du soleil, suivant un chemin que je ne puis encore concevoir, mais qui recoupe celui de la terre de sorte qu'elle se trouve placée à diverses hauteurs, qu'elle est parfois plus proche que nous du soleil, parfois plus loin, et qu'elle prend des formes différentes selon ce que nous percevons de sa surface baignée par le jour. Et ce sont les jeux de la terre et de la lune autour du soleil qui créent les éclipses. Quant à ces mondes capricieux que Lucain appelle *stellae vagae* et Xénophon *πλάνητες ἀστέρες*, ils ne sont pas si capricieux que cela si on admet que, comme la terre, ils tournent autour du soleil à des vitesses et des distances toutes variables. J'ai imaginé cela d'après ton enseignement et ta mauvaise humeur d'avoir à exposer des théories rassurantes. J'ai ainsi éprouvé que la fermeté de l'âme ne s'accorde que rarement avec celle de l'esprit, car l'esprit calcule et veut savoir quoi qu'il en coûte, tandis que l'âme rêve et s'épouvante des découvertes de l'esprit qui ruinent son idéal de plaisir et d'éternité.

– De quoi as-tu peur, petite Morgane ? Du fait que le foyer peut avoir plus d'importance que les êtres qui viennent s'y chauffer ?

– Oui, Merlin. Car lorsque le foyer dure, et les êtres passent et meurent, c'est que le foyer brûle sans raison, et que cette finalité donnée par l'homme à toute chose en regard de sa mesquine et fugitive existence est nulle, un simple leurre. Et l'homme lui-même, comme tout ce qui vit, n'est qu'une ombre passagère que la matière chaude projette sur la matière froide ainsi fécondée pour accoucher d'une illusion. Je me scandalise du fait que le centre de tout est sans pensée ni motif, alors que le fruit animé du hasard, qui remue faiblement à sa périphérie parmi d'autres objets errant dans le vide, est, lui, capable de concevoir le but, et que cette capacité ne lui sert qu'à éclairer d'une lumière de plus en plus crue son propre néant. Ainsi je vois bien que Dieu, s'il existe, auteur de tout cela, est mille fois plus cruel et pervers que Satan. Et moi, Morgane, victime de cette cruauté, haïssant ce Dieu-Monstre et cet homme stupide ou menteur que tu défends, je veux être cruelle à mon tour et répondre par le mal personnel au mal universel, parce que je suis condamnée au savoir, à la peur, à la souffrance et à la mort. »

Elle se mit à pleurer, avec cette amertume intense et passagère d'un enfant voué tout entier, sans restriction, à sa détresse, mélange de petite fille et d'être inouï, sans égal, versant des larmes puériles sur des choses vertigineuses, tendre chair à l'esprit perdu dans l'abîme. Je m'approchai d'elle et la pris dans mes bras. Elle mit les siens autour de mon cou et posa sa tête sur mon épaule.

« Avec toi je n'ai pas peur, Merlin. Aime-moi. Aime-moi toujours et je ne mourrai pas. »

Je sentis son corps léger et doux secoué par quelques sanglots ultimes, puis elle s'apaisa et s'endormit. Son visage appuyé contre mon épaule était tourné vers moi. Il y avait encore sur ses joues les sillons brillants de ses larmes, mais sa bouche esquissait un délicieux sourire. Ses longs cheveux noirs coulaient sur son dos. Elle semblait sereine, fragile et désarmée, retrouvant son âge dans l'abandon enfantin du sommeil. J'eus tout à coup le sentiment que rien d'autre ne comptait que cette petite fille suave et révoltée dormant dans mes bras. Et cette seconde d'amour absolu, venant baigner de sa lumière éblouissante et fugitive un monde construit sur les artifices du calcul et l'arbitraire de la foi, rejetant dans la pénombre de l'accessoire Dieu et Satan, l'ordre et le chaos, le bien et le mal, la conscience et la mort, était plus que tous les songes d'éternité.

Morgane dormait. Je montai à cheval avec précaution et nous retournâmes ainsi à Carduel, au pas lent et sans heurt de ma monture, dans l'or du couchant.

« Maudit soit cet ennemi féroce et sournois que je ne peux affronter l'épée à la main. Il me terrasse lentement, et je sens sa poigne de fer me broyer les entrailles. Le mal me ronge, Merlin, et si toi-même tu ne peux me guérir, c'est que mon heure est venue. Je meurs d'oisiveté et de paix, comme une machine de guerre trop longtemps abandonnée aux vers et à la rouille, et qui peu à peu tombe en pièces. Logres est puissant et ses peuples soudés par une seule loi. Gorre se terre et les Pictes n'osent plus sortir de leurs tanières de fauves. Les nefs saxonnes évitent nos grèves. Mes sujets m'aiment, croyant m'être redevables d'une douceur de vivre qui me tue. La paix d'Uther ! Quelle dérision que ce nom de guerrier accolé à la quiétude par un peuple repu ! Je pleure le monde du roi, ton grand-père. C'était un lion parmi les loups. Et tu as fait de ces loups des chiens qui veillent sans comprendre aux marches d'un nouveau monde que tu dis construire pour l'homme, mais où il n'y a qu'un seul homme qui est toi-même. La domination par la force, qui était la loi de ton grand-père, donnait au moins au vaincu le libre choix de mourir ou de se soumettre, mais la domination par l'esprit, qui est ta loi, ne mène qu'à l'esclavage. Tu as fait de moi, le roi Uther, le maître incontesté de Logres, ton esclave volontaire, et c'est de cette perversion de la force enchaînée par l'esprit que je meurs. Et la preuve ultime de cette servitude et de ton pouvoir, fils du Diable, est que, sachant tout cela, je ne puis m'empêcher de t'aimer. Il est vrai que les chiens sont affectueux. Es-tu le seul être libre de ton monde, Merlin ?

– Tu dis : la perversion de la force enchaînée par l'esprit. On peut renverser la proposition, car l'esprit dépend de la force pour concrétiser ses trouvailles, sous peine d'impuissance, ce que pour ma part je déplore, et il me semble plus juste de dire qu'ils sont enchaînés l'un à l'autre. Ce qui fait que je ne suis pas moins esclave que toi, ou que tu es aussi libre que moi. Cet enchaînement existait déjà chez mon grand-père dont la sagesse était façonnée par la violence et chez Pendragon en qui ce rapport s'inversait. Tu es un grand roi, Uther, le seul qui convienne à ces temps ambigus, et ton désarroi privé n'est que le reflet d'une hésitation générale des choses. Le monde ancien que tu regrettes n'est pas révolu. Il domine tout l'Occident en proie au chaos des barbares, où le nom de Logres va prendre la place de celui de Rome qui agonise. Arthur réalisera le rêve de mon grand-père et le mien étroitement mêlés, car c'est un législateur en armes, un guerrier capable de penser la loi. Et toi, par tes victoires et surtout cette paix que tu méprises, tu lui as donné une armée non de loups ou de chiens, mais d'hommes qui, en se battant pour le roi, croiront se battre aussi pour eux-mêmes, car ils partageront avec lui une idée dont ils auront éprouvé le bénéfice. Je ne sais si on peut appeler cela une armée d'hommes libres, ou d'esclaves volontaires. Qu'importe. Si l'impression de liberté a les mêmes effets qu'une liberté comme principe toujours en quête de définition, la question est hors de propos, car l'âge d'or est encore lointain. Ce que je sais, c'est qu'une telle armée est invincible. »

Uther resta songeur un moment. Sa colère était tombée. Il me demanda soudain :

« Est-il bon combattant ?

– Je ne vois que toi, dans Logres, qui puisses lui résister. Et il n'a que quinze ans. Il aime se battre. En cela il est bien de ton sang. Il sera le plus grand guerrier de tout l'Occident.

– Dis-lui de ne jamais baisser sa garde. Ainsi il apprendra quelque chose de moi.

– Je le lui dirai.

– Est-il l'homme que tu voulais ? Celui dont tu m'as parlé au début de mon règne ?

– Je le pense. »

Il demeura à nouveau silencieux. Il était épuisé par les fièvres. Enfin il reprit :

« Merlin, qu'y a-t-il après la mort ?

– Personne ne le sait.

– Pas même toi ?

– Non.

– Mais que crois-tu ?

– Je crois aux choses et aux actes qui pèsent sur elles. Pour le reste, chacun est libre d'organiser à sa guise sa propre éternité. »

Il se leva avec difficulté.

« Aide-moi à me vêtir. Je veux sortir de cette cage. »

Lorsqu'il fut prêt, il descendit dans la cour du palais, et fit seller son meilleur cheval.

Au crépuscule, je le retrouvai, non loin de Camelot, étendu sur le chemin, auprès de sa monture qui tremblait d'épuisement. Il était mort.

Une herbe drue recouvrait les trois tertres sous lesquels reposaient les corps de ma mère, du roi des Galles et de Pendragon. A côté, une fosse béait, contenant un grand sarcophage de pierre.

La scène rappelait étrangement celle qui s'était déroulée vingt ans auparavant, ici, à Stanhenges, à l'ombre des hautes pierres dressées.

Trente mille soldats occupaient la plaine, rangés en bon ordre, immobiles comme des statues de bronze, silencieux, en deuil, venus voir une dernière fois leur prince dans la paix et leur chef dans la guerre avant que la terre ne l'engloutît à jamais. Devant eux se tenaient tous les chefs de Logres, membres de la Table Ronde.

Le cadavre en armes d'Uther, porté par deux rois, Leodegan et Loth, fut déposé dans le sarcophage, qu'on ferma d'un lourd couvercle fait tout d'une pièce, que dix hommes soulevaient avec peine et qui s'ajusta avec un bruit sourd. Puis on combla la fosse.

Je fis signe à Arthur, qui jusqu'alors s'était tenu discrètement à l'écart, et il s'avança devant le tombeau de son père, à la vue de tous. Il avait fait un chemin solitaire depuis la maison d'Auctor, qu'il quittait pour la première fois, et avait rejoint l'armée à Stanhenges, juste avant la cérémonie. On n'ignorait pas son existence, car Uther avait fait répandre la nouvelle de sa naissance et de son éloignement de Carduel, mais personne ne le connaissait. En dehors d'Auctor, de Kay, de moi-même et de quelques esclaves, seule sa mère Ygerne s'était trouvée parfois en sa présence.

Il était vêtu simplement, d'une tunique et d'un manteau. A seize ans à peine, il était très haut de taille, et son corps donnait une impression de puissance, de souplesse et de grâce. Son attitude exprimait l'assurance et la noblesse. Son visage, d'une extraordinaire beauté, était grave, et ses yeux bleus et calmes passaient et s'arrêtaient sans humilité ni orgueil sur la multitude, comme s'ils regardaient chacun en particulier. Je vins à ses côtés.

« Voici Arthur, fils d'Uther-Pendragon, petit-fils de

Constant, héritier de Logres et des Galles. Voici votre roi. »

Il y eut un long silence. La foule l'observait avec curiosité, partagée entre une impression favorable devant cette splendeur d'homme et une réserve vis-à-vis d'un être à peine sorti de l'ombre et de l'enfance.

« Ma première décision, dit Arthur d'une voix forte, est que ce jour qui est celui de mon avènement ne sera marqué par aucune célébration. Car sachant qui vous venez de perdre, le plus grand et le plus aimé des rois, et ignorant qui vous échoit à sa place, vous devez préférer le deuil à la réjouissance. Ma seconde décision est que cette célébration n'aura pas lieu non plus demain. Demain, nous traverserons la mer pour aller soumettre les Bretons des Gaules. »

Il y eut un flottement dans l'armée, une stupeur qui faisait frissonner les rangs des soldats. Leodegan et Loth levèrent leurs épées en criant le nom d'Arthur, imités aussitôt par les chefs, puis par tous les guerriers. Et ce nom roula sur la plaine, et il semblait que son écho devait s'entendre dans le pays entier, passer l'eau et résonner dans tout l'Occident. Quelque chose venait de naître ici, à cet instant, que le monde n'oublierait jamais.

Cela se passait le premier jour de l'année quatre cent soixante-seize, l'année de l'effondrement définitif de l'empire sous le déferlement des barbares, l'année de la chute de l'*Urbs* elle-même, l'éternelle, investie par l'Hérule Odoacre et ses hordes.

C'est ainsi qu'Arthur apparut pour la première fois aux yeux du monde, au moment où Rome s'effaçait.

Dès le lendemain, sans même se rendre à Carduel où sa famille l'attendait dans la joie et le deuil, Arthur rejoignit la cité de Durnovaria dans la terre des Durotriges, puis la côte méridionale de Logres où était ancrée une partie de sa flotte de guerre. Il prit avec lui la moitié de son armée et des chefs, et renvoya le reste dans les provinces. Comme j'avais décidé de l'accompagner dans cette première expédition, il avait confié la responsabilité des affaires à Loth d'Orcanie, son demi-frère par alliance qui résidait à ce moment à Carduel avec son épouse Morcades, fille aînée d'Ygerne, et leur premier-né âgé de quelques mois, Gauvain. Leodegan devait regagner sa capitale Isurium et reprendre le commandement des armées du Nord qui veillaient aux frontières le long de l'ancien mur d'Hadrien. Il avait eu lui aussi, peu de temps auparavant, à l'âge de soixante-trois ans, un enfant d'un second lit. C'était une fille, et il lui avait donné le nom de Guenièvre.

L'expédition dura deux ans. Peu après le débarquement de l'armée sur la côte nord du pays de Gaunes, deux jeunes chefs des peuples venus du sud de Logres plus de trente ans auparavant, au moment de l'établissement des Saxons qui avait suivi le honteux traité de Vortigern, reconnaissant l'autorité de la maison de Constant, rassemblèrent tous leurs guerriers et firent leur soumission à Arthur. Ils avaient à peu près son âge, étaient frères et se nommaient Ban et Bohort. Mais beaucoup d'autres, qui étaient originaires de Dumnonia d'où ils avaient fui lors de l'invasion d'Uther, et qui haïssaient le nom de Logres, s'allièrent avec des tribus autochtones pour résister à l'avance des troupes d'Arthur. Celui-ci les défit à plusieurs reprises, et finit par les écraser dans l'est du pays, sur la terre des Redones où ils avaient regroupé leurs dernières forces. En ces circonstances, le jeune roi se révéla un excellent stratège et un terrible combattant. Il réunissait toutes les qualités militaires de Pendragon et d'Uther, et chez lui le mélange de la plus folle témérité et du calcul froid, du risque personnel et de la prudence tactique, me rappelait irrésistiblement mon grand-père, à ceci près qu'il tuait sans plaisir et qu'il était accessible à la pitié. En peu de temps, il devint pour l'armée un objet de vénération.

Puis il organisa ses conquêtes. Il donna le pays de Gaunes, à l'ouest, à Bohort, et Bénoïc, la terre du centre, la plus étendue, à Ban qui avait accompli de nombreux exploits sur les champs de bataille. Il mit à la tête des Redones un chef que je lui désignai, qui s'appelait Cardeu, plus savant que guerrier, sorte d'érudit qui mêlait à la science des Grecs et des Romains celle des anciens druides. Arthur imposa les lois de Logres, tâchant cependant, sur mon conseil, de respecter les coutumes des peuples soumis, et établit dans chaque pays une administration et une armée encadrées par ses propres officiers.

Ainsi eut-il l'occasion, dans le premier moment de son règne, d'accomplir toutes les tâches auxquelles je l'avais préparé, trouvant là un champ d'expérience de la guerre et de la loi, de la fermeté et de la mansuétude, qui était comme un raccourci de son grand destin. Il avait triomphé avec aisance de toutes les épreuves. J'avais attendu de lui l'inévitable maladresse des commencements. Il ne l'eut pas.

Mon rêve s'incarnait.

A la fin de l'année quatre cent soixante-dix-sept, nous retournâmes à Logres, et Arthur entra dans Carduel, sa capitale, pour la première fois de sa vie.

La nuit était limpide, et dans le ciel dégagé de toute nuée, dont le fond avait cependant la noirceur du solstice hivernal, la lune pleine luisait de sa lumière froide et blanche. La mer obscure, resserrée entre le rivage des Silures et celui des Dumnonii, se boursouflait de longs rouleaux puissants venus des lointains mystérieux de l'océan libre, poussés par le vent d'ouest frais et vif, éclatant avec des pâleurs écumeuses aux abords des côtes, sur les hauts-fonds. Les chevaux exhalaient une vapeur laiteuse qui se diluait aussitôt dans les agitations de l'air. Au nord, au milieu de la plaine dont l'herbe haute chargée de rosée nocturne était comme une eau étale réfléchissant les feux argentés de la nuit, la forteresse d'Isca, brûlée autrefois par les Demetae et rebâtie par Morgane, dressait sa haute enceinte de pierre et de bois.

Morgane n'était pas venue assister au triomphe d'Arthur.

Nous étions seuls, le jeune roi et moi-même, arrêtés sur le chemin côtier qui mène de Carduel à Isca, laissant reposer nos montures. Un cavalier s'approchait au pas. Nous le regardions venir en silence. Ses longs cheveux sombres voilaient à demi son visage autour duquel ils flottaient, sinueux, dans le vent maritime. Il s'arrêta à peu de distance et mit pied à terre. C'était Morgane. Elle était vêtue d'une simple tunique d'homme et d'un manteau et, dans cet habit grossier, elle était d'une beauté inimaginable, échappant aux mots et à l'expérience, créant seulement un bouleversement de l'esprit et des sens semblable à celui qu'on éprouve lorsqu'on est soudain en présence d'un morceau d'univers triomphal, unique et insoupçonné.

« Ne m'as-tu pas oubliée, Merlin ? C'est moi, Morgane, ta petite Morgane. »

Elle vint dans mes bras et posa sa tête contre mon épaule, comme elle avait l'habitude de le faire lorsqu'elle était enfant. Puis elle s'écarta et fit face à Arthur.

« Voici, lui dis-je, le roi de Logres, ton frère. »

Ils se contemplaient. Ils étaient comme le jour et la nuit mis en présence, et l'éclat de la nuit ternissait celui du jour. Morgane souriait. Mais dans la lueur verte de ses yeux, je vis quelque chose de glacé et de réfléchi, comme la manifestation d'une intelligence en proie au calcul. Et je me dis, considérant ces deux enfants de mon esprit, que Dieu lui-même, en créant l'homme, n'avait pas été exempt d'imprévoyance.

Camelot.

Arthur avait établi la deuxième Table Ronde dans la forteresse des Durotriges, en souvenir de son enfance passée près de là, chez Auctor. Alors qu'il avait décidé de déplacer sa cour dans plusieurs lieux judicieusement répartis dans le royaume, selon les événements et à cause de la nécessité d'affirmer partout la présence royale, il avait voulu fixer la Table Ronde dans un endroit nouveau lié à sa seule personne, un endroit sévère et nu qui deviendrait un symbole et donnerait son nom à un idéal.

La deuxième Table était plus grande encore que la première, et ses membres plus nombreux. Y siégeaient non seulement les anciens chefs, survivants de l'époque d'Uther, mais aussi leurs fils aînés, ainsi que les héritiers des chefs morts. Il y avait cinq rois, Arthur, Leodegan, Loth, Ban de Bénoïc et Bohort de Gaunes. Enfin Arthur avait désigné quelques hommes qui n'étaient ni rois ni chefs, mais qu'il voulait honorer, parmi lesquels se trouvait Kay, le fils d'Auctor.

Arthur les réunit pour la première fois à Camelot, en ma présence, et leur dit :

« Cette assemblée est la personne agrandie du roi. Vous êtes Arthur de Logres. Voici que je partage mon corps à cette Table Ronde, comme le fit le Christ à la Table de la Cène. Vous êtes les membres périssables d'un corps mystique éternel. Et ce corps fécondera la terre dans la violence et l'amour. Il vous faudra labourer cette terre avec le glaive, mettre dans la riche plaie la semence de votre âme et l'arroser de votre sang. Vous ferez cela dans une double nuit, ayant à combattre à la fois l'obscurité des barbares et vos ténèbres intérieures, éclairés seulement par la flamme d'une passion d'amour allumée à l'Orient il y a cinq siècles et qui brille à présent sur Camelot. Et je vous prédis que cette flamme deviendra un incendie, l'incendie une aube, et l'aube la lumière du plein jour qui illuminera le monde. Ainsi, quoique mortels, vous pourrez vaincre la mort. Mais si vous trahissez, vous mourrez, nous mourrons à jamais, et la matière inexpliquée d'où l'âme aura fui retournera au silence. »

« Morgane est le chaos, me dit Arthur. Un chaos où s'anéantit toute finalité, où le bâtisseur méticuleux et acharné qui a reçu en héritage ce souci impérieux du but se perd avec délices. Morgane est l'obsession des sens qui tue dans la pensée l'obsession du projet. Elle est le présent absolu qui ronge le fragile devenir. Son esprit est un ravage, et je hais son esprit, adorant chaque parcelle de sa chair, la moindre ébauche de son mouvement qui est comme une danse infinie de grâce et de mort. Et cependant je vois bien que sa chair n'est que la matière soyeuse et inouïe de son esprit, que les deux sont une seule et même chose et que la séduction de cette enveloppe à quoi rien dans la nature ne peut se comparer n'est que l'interprète harmonieux d'une séduction mille fois plus puissante, née du faste calculé d'une intelligence sublime et pervertie. Et tandis que je bois et me baigne à la source de ma joie et de mon supplice, tandis que je pénètre la chaude suavité de son corps, je sens que Morgane pénètre d'autant mon âme. Ce qui fait que ma haine n'est rien d'autre qu'un amour épouvanté. Et moi, Arthur de Logres et de la Table Ronde, qui prétends donner au chaos en quoi je ne voyais commodément que haine et hideur une leçon de guerre, voici que je reçois du chaos une leçon d'amour qui est une autre guerre où je me trouve nu et désarmé. Les mots de la passion deviennent équivoques, la mystique prend corps à outrance, l'abîme du plaisir s'ouvre sur l'abîme du néant. Morgane est un fleuve chéri où je dérive, nageur asphyxié et jouissant, jusqu'à ce nulle part qu'est la vide liberté de la mer. J'aime Morgane comme on aime une femme et comme on aime Dieu. Qui pourra briser mes chaînes faites de cet indestructible alliage de chair lumineuse et d'âme obscure ?

– Morgane elle-même, si je la connais. »

L'enfant sortait, sanglant, du corps splendide de sa mère. Ses mains dégagées s'agitèrent, et je posai dans leur creux deux doigts autour desquels elles se refermèrent. Je tirai. Il ne lâcha pas. Et ainsi il acheva de naître, comme s'extirpant lui-même avec un cri d'effort, venant au monde agrippé à son ennemi. Je le saisis et, après avoir coupé le cordon, l'élevai dans la lumière à la hauteur de mon visage. Il était lourd et bien fait, plein de vie.

Je considérai, songeur, le fils d'Arthur et de Morgane.

Dès que celle-ci avait su qu'elle était enceinte, elle avait fermé au roi les portes de son palais. Et Arthur, désespéré, avait erré des nuits entières dans la plaine et sur les grèves d'Isca. Craignant que sa déraison ne rendît publique cette liaison criminelle, jetant l'opprobre sur sa personne et à travers elle sur la Table Ronde, j'étais allé trouver Morgane et lui avais dit :

« A présent que tu as accompli ton dessein qui est de concevoir un être de ténèbres issu de la lumière même et destiné à l'obscurcir, tu tâches à conduire ton frère à la folie et au déshonneur. Mais je vais t'emmener loin d'Arthur, de l'autre côté de la mer, toi et l'infamie que tu portes dans ton ventre. Tu laisseras ici tout ce que tu connais et tout ce que tu possèdes. Nous partirons seuls, sans escorte. »

Et nous avions traversé la mer et débarqué sur le rivage d'Armorica. J'avais visité le roi Ban dans Bénoïc, sa capitale, et lui avais demandé de me donner un riche palais isolé qu'il possédait au milieu de sa terre, dans la forêt de Brocéliande, et qu'on appelait le palais du Val, ainsi que cent guerriers et serviteurs choisis parmi les plus fidèles et les plus dévoués. Ce qu'il m'avait accordé aussitôt. Et j'avais passé là, auprès de Morgane, tout le temps de sa grossesse.

Je regardais l'enfant. Depuis plusieurs mois, j'avais bien souvent envisagé de le tuer à l'instant même de sa naissance. Mais je ne pouvais m'y résoudre. J'avais entre les mains cette irrésistible force que les nus et les faibles tirent de leur nudité et de leur faiblesse mêmes. Je le tendis à Morgane et elle le prit contre son sein. Bien que souillée de sueur et de sang, elle n'avait jamais été aussi belle. J'essuyai son corps avec un linge humide. Puis je restai à la contempler en silence, dans la perplexité et le ravissement.

« Pourquoi ne l'as-tu pas tué ? me demanda-t-elle.

– Il n'y a pas de fatalité. J'en suis la preuve vivante, et je me sens pareil à cet enfant par les origines. De même que je ne puis avoir la certitude d'être le maître absolu de la destinée d'Arthur, tu ne peux non plus espérer contrôler totalement le devenir de ton fils. Ainsi il n'y a de fatalité ni dans la création ni dans la destruction, car deux choses échappent aux calculs les plus subtils de la prévoyance : l'âme et le hasard. Et même si tu parviens à faire de cet être un parfait instrument au service de ta haine de l'homme, il ne pourra nuire que si Arthur et ses pairs de la Table Ronde montrent folie ou faiblesse. Et s'ils sont fous ou faibles, qu'importe la cause de leur ruine, car le coupable ne sera pas toi, ni ton fils, mais eux-mêmes.

– Que de détours habiles pour expliquer ce simple fait que tu es incapable du meurtre d'un nouveau-né.

– Le détour et le fait peuvent être également vrais. »

Elle me sourit.

« N'éprouves-tu pas de haine pour moi, Merlin ?

– Je t'aimerai toujours, Morgane. Plus que tout au

monde. Tu es mon enfant, et aussi l'autre face de moi-même. Mais je te combattrai. »

Ainsi naquit Mordred, en l'année quatre cent soixante-dix-neuf, dans le palais du Val qui devait prendre bientôt, à cause des exactions de Morgane, le nom sinistre de Val sans Retour.

« Seigneur, dit le messager en s'inclinant devant Arthur, voici ce que le roi Ban de Bénoïc, à qui tu as ordonné d'observer la progression des Saxons, m'a chargé de te rapporter. Leur flotte de guerre, après s'être engagée profondément dans le bras de mer qui sépare les Galles de Dumnonia, a abordé les grèves désertes du sud, celles des Belgae, négligeant la côte opposée des Silures et la riche Carduel. L'aire de débarquement est immense, car jamais à Logres on n'a vu une telle force navale saxonne, même au temps de leur allié Vortigern. Elle comprend cinq cents navires. Chacun d'eux, surchargé, porte quarante guerriers. Ce qui fait que l'armée ennemie est forte de vingt mille soldats. Ils n'ont pas emporté de chevaux, pas même pour les chefs, sans doute pour laisser plus de place aux hommes et parce qu'ils espèrent en trouver ici au hasard des combats et du pillage. Ils ont établi un campement provisoire, peu fortifié, ce qui indique qu'ils ne tarderont pas à se mettre en marche, peut-être dès demain.

– C'est bien. Dis à Ban de rester caché aux yeux des Saxons. Je le rejoindrai cette nuit. Qu'il trouve un lieu abrité pour l'armée et envoie un guide à ma rencontre. Je viendrai du sud-ouest, en suivant le rivage. »

Arthur se tourna vers ceux qui avaient écouté le rapport du messager. Il y avait là, réunis dans une salle de la forteresse de Camelot, tous les membres de la Table Ronde et les chefs militaires de Logres, entre autres le roi Leodegan, vieillard de fer âgé de soixante-dix-huit ans, Loth d'Orcanie et son fils aîné Gauvain qui n'avait que quinze ans et dont ce serait le premier combat, Bohort de Gaunes, frère de Ban, et Kay, fils d'Auctor et compagnon de jeu d'Arthur au temps de son enfance. Ils étaient de redoutables combattants, l'élite des guerriers bretons, mais Arthur les surpassait tous par la taille et la puissance du corps. Il avait une réputation d'invincibilité. Il entrait alors dans sa trentième année. Il était toujours aussi beau de visage, bien que ses traits se fussent un peu durcis sous l'effet du souci de sa charge et d'une secrète tristesse. Il avait perdu cette grâce juvénile qu'il avait au début de son règne, et à présent ses mouvements, plus lourds et plus calmes, donnaient une impression de force immense et maîtrisée. Sa physionomie exprimait un mélange d'autorité et de mélancolie. Il était bon et courtois avec les humbles, distant avec les nobles. Le peuple l'idolâtrait, les grands le craignaient, tout en l'aimant. Il était déjà une légende.

Au pied de la forteresse, les troupes attendaient les ordres. Elles se composaient de l'armée royale permanente, forte de dix mille guerriers, et des réserves prises sur les garnisons des *civitates* voisines, cantonnées à Moridunum, Carduel, Corinium, Calleva, Noviomagus, Venta Belgarum, Durnovaria et Tintagel, et réunies à la hâte dès qu'on avait aperçu la flotte saxonne au large des côtes de Logres. Des émissaires avaient été envoyés dans les *civitates* plus lointaines pour recruter, sans dégarnir excessivement les places fortes et sans prélever un seul homme de l'armée des Brigantes qui veillait aux frontières du Nord, des troupes qui devaient se diriger vers Camelot à marche forcée. Arthur pouvait rassembler, dans un délai plus ou moins long, trente mille soldats, nombre considérable qui n'avait été atteint auparavant qu'en une seule occasion, celle de son avènement et des funérailles d'Uther. Mais à présent il ne disposait que de quatre mille cavaliers et douze mille hommes à pied, qu'il avait décidé de mener au combat sans attendre, pour prévenir tout ravage de sa terre.

« Ce n'est pas une expédition de pillage, dit-il, mais une invasion. Les Saxons n'ont pas de pouvoir centralisé, et vont par troupes indépendantes, chacune obéissant à un chef. Si leurs bandes ont pu s'accorder et se réunir pour former une telle multitude armée, il faut qu'il y ait là un vaste dessein. Et s'ils n'ont pas débarqué, comme ils l'ont fait par le passé, sur les côtes de l'Est ou du Sud, suivant le plus court chemin maritime, mais les ont contournées malgré les vents contraires, s'ils ont épargné Carduel et abordé le rivage opposé, c'est parce que ce rivage est le plus proche de Camelot et que leur premier objectif est de détruire la Table Ronde, pour pouvoir mieux se fixer sur le corps de Logres ainsi privé de tête et d'âme. Ils vont donc venir ici en droite ligne, au plus tôt. Ils sont à pied, et peuvent couvrir la distance séparant la côte de Camelot en huit heures. Voici ce que j'ai décidé. Entre les Saxons et nous, il y a les collines de Badon. Toi, Leodegan, et toi, Loth, irez avec tous les chefs et les douze mille hommes à pied vous établir sur ces hauteurs, cette nuit même. C'est là que vous arrêterez l'ennemi. Moi, secondé par Bohort et Kay, je prendrai la tête des quatre mille cavaliers et j'irai rejoindre Ban à proximité de l'aire de débarquement, assez loin cependant pour que les Saxons ne puissent déceler notre présence. Voulant écraser l'armée royale et détruire Camelot d'un coup, ils laisseront le moins possible de guerriers à la garde de leurs navires. Peut-être mille. Deux mille tout au plus. Après le départ du plus gros de leurs forces, j'attendrai trois heures. C'est le temps qu'il leur faudra pour arriver à Badon et engager le combat avec Leodegan et Loth. A ce moment, j'attaquerai. J'investirai leur camp par surprise, détruirai la garde et brûlerai leur flotte de guerre. Si leurs troupes engagées à Badon aperçoivent la fumée de l'incendie, elles ne pourront revenir au rivage, car dans une telle retraite elles risquent de se faire tailler en pièces. Aussitôt après avoir mis le feu aux navires, je ferai route au grand galop vers Badon et tomberai sur leurs arrières, les enfermant dans un étau. Jusqu'à mon arrivée, ne prenez aucun risque, épargnez vos forces, car vous serez très inférieurs en nombre. Contentez-vous de tenir les collines et de repousser leurs assauts. Mais lorsque vous me verrez apparaître, chargez sans retenue. Chargez pour tuer ou pour mourir. Si les Saxons échappent aux mâchoires de mon piège et parviennent à regagner la côte, ils ne retrouveront de leur flotte orgueilleuse que quelques planches calcinées et tomberont dans un nouveau piège encore plus redoutable, car ils seront acculés à la mer, et de cette mâchoire-là on ne peut s'échapper.

– En brûlant leurs navires, dit Leodegan, tu leur

coupes toute possibilité de retraite et les obliges à se battre jusqu'au dernier homme. Ils nous sont déjà supérieurs par le nombre. Il est à craindre qu'une telle stratégie n'augmente leur valeur guerrière, qui est grande, de la férocité du désespoir, et qu'ils ne trouvent dans une situation sans issue la force de vaincre. Car l'acharnement au combat est toujours tempéré par l'opportunité de fuir.

– Je ne veux pas qu'ils puissent fuir. Je veux, par un exemple terrible, décourager les expéditions des Saxons, sinon à jamais, du moins pour longtemps. Et en rassemblant cette nombreuse armée, chose qui n'est pas dans leur coutume et qui ne pourra se répéter de sitôt, ils m'offrent l'occasion que je cherchais. Quant à leur valeur guerrière, leur férocité et leur acharnement, je compte que les nôtres seront encore plus grands, car, nous battant sur notre terre qui est notre seul refuge, nous avons encore moins qu'eux la possibilité de fuir. Si nous sommes vaincus, les chefs survivants reconstitueront une armée avec les réserves des *civitates* qui sont à présent en marche, et reprendront le combat à outrance, jusqu'à ce qu'il ne reste plus un seul Saxon vivant sur notre sol. »

Il s'interrompit un instant, puis reprit avec tranquillité :

« Cela veut dire qu'il n'y aura pas de prisonniers. »

Trente mille cadavres de guerriers jonchaient les collines de Badon. Au loin, vers le nord, les volutes noires d'un brasier colossal montaient des grèves où trois mille hommes étaient tombés à l'aube et où la flotte ennemie achevait de se consumer. Les Saxons avaient été exterminés et de l'armée d'Arthur il ne restait qu'un peu plus de deux mille piétons et quelques centaines de cavaliers dont pas un n'était intact. Sur les cent cinquante membres de la Table Ronde, une vingtaine étaient encore vivants, et parmi eux le roi, Ban, Bohort, Kay et Gauvain. Tous les vieux chefs du temps d'Uther étaient morts. Loth était mort. Leodegan agonisait.

Arthur, sombre et sanglant, errait sur le champ de bataille. Il arriva à l'endroit où je me tenais auprès de Leodegan étendu dans l'herbe. Il descendit de cheval et s'agenouilla auprès de lui.

« Quelle bataille, Arthur ! dit Leodegan en souriant. Jamais je n'avais vu une semblable chose, même à l'époque d'Uther. Il aurait aimé cela. Et toi, tu as combattu mieux qu'il ne l'aurait fait. Tu as combattu comme personne, et le monde s'en souviendra à jamais. Je suis satisfait de mourir aux côtés d'un tel guerrier. Mon temps est révolu, et celui de mes pareils. Je te donne ma terre, le pays des Brigantes, que ton père et Merlin ont laissée autrefois entre mes mains malgré leur désir de conquête. Joins-la à Logres. Je te confie aussi mon enfant unique Guenièvre, qui n'a que quinze ans. »

Il me regarda.

« Merlin, est-ce que Loth est mort, et tous les hommes de l'ancien monde ?

– Oui, Leodegan.

– Ainsi ton monde naît vraiment aujourd'hui des entrailles froides de cette violence qui était la loi de l'autre. Et de cet autre tu demeures l'unique créature et l'unique témoin. Tu es à la fois père et orphelin. Tu es comme un arbre dont les racines ne correspondent pas aux fruits. Et toi, le tronc, tu es étranger aux deux. Quelle solitude, Merlin ! Y en a-t-il autant dans la mort où je vais ? »

Il devint immobile, pour toujours en paix. Alors Arthur prit entre ses bras la terrible tête blanche et la serra contre lui. Il se mit à pleurer. Il pleura comme il n'avait jamais pleuré de toute sa vie. Et je voyais dans cette explosion de larmes, au-delà du deuil, de l'effroi de devoir durer au milieu de la mort qui était partout, l'ouverture d'une plaie ancienne par où s'épanchait une amertume trop longtemps contenue.

Badon. C'était dans l'année quatre cent quatre-vingt-dix, le premier jour de l'été. Le soleil se couchait derrière les collines, colorant le ciel occidental d'un triomphe pourpre, sorte de reflet illimité du brasier et du sang répandu. Tout était silencieux, plongé dans l'oubli de la mort ou du sommeil, dans le mutisme de l'épuisement et de la prostration.

Arthur pleurait.

Arthur épousa Guenièvre un an après la journée de Badon.

Guenièvre était belle. Agée de seize ans, elle ne gardait aucune trace de l'enfance et montrait tous les accomplissements de la femme. Elle avait une longue et lourde chevelure d'or, célèbre dans toute la Bretagne, un visage d'une perfection un peu neutre, qui fascinait au premier abord plus qu'il ne séduisait durablement, un teint d'une délicate blancheur. Sa physionomie exprimait un mélange de noblesse, de froideur, de caprice et d'ennui, démentant ce que sa chair et ses gestes avaient de doux, de plein et de lascif. Elle donnait une idée de plaisir indolent et inaccessible. Elle se satisfaisait, sans avoir la bassesse ou la candeur de le laisser paraître, d'être le centre de l'attention et du désir. Elle affectionnait la puissance, le faste et les riches parures. Et lorsqu'elle vit

Arthur, qui représentait tout cela et était en outre l'homme le plus beau de l'Occident, elle l'aima autant qu'elle était capable d'aimer.

Les noces furent célébrées à Isurium, la capitale des Brigantes, dont Arthur, pour honorer la mémoire de Leodegan, fit un des lieux de résidence de sa cour. Les fêtes se poursuivirent à Londres, puis à Carduel. Là, Arthur, voulant clore avec éclat les réjouissances, donna un grand festin dans son palais. Il y convia tous les rois, les chefs et les nobles de Logres et des terres soumises.

Au milieu du repas, deux visiteurs entrèrent dans la salle et s'avancèrent jusqu'à la table du roi. Ils portaient tous deux une sorte de *paenula* de voyage dont le large capuchon laissait leurs traits dans l'ombre. Le plus grand releva le sien et Morgane apparut. Sa beauté était telle que l'assemblée se tut, retenant son souffle. Elle condamnait les autres femmes à l'humilité et à l'effacement et voilait l'éclat de Guenièvre elle-même, dont elle avait le double de l'âge. Arthur se leva, très pâle, la regardant fixement avec une expression d'effroi et de félicité. Et je vis que cette présence était pour lui un paradis fugitif ravivant le long enfer d'une absence.

Morgane découvrit celui qui l'accompagnait. Un murmure d'admiration parcourut l'assistance. C'était un enfant d'une douzaine d'années et tous comprirent qu'il était le fils de Morgane dont il avait la splendeur de la taille et des traits. Mais moi, brusquement reporté vingt ans en arrière, je crus avoir sous les yeux le roi à cet âge, à ceci près que l'enfant avait la chevelure plus sombre et le regard vert de sa mère. Il se tenait bien droit, aussi loin de la timidité que de l'insolence.

« Voici Mordred, mon fils, dit Morgane à Arthur. Il a été élevé à Bénoïc, le pays du roi Ban, au milieu de la forêt de Brocéliande, dans le palais isolé que m'a donné Merlin et que le peuple appelle craintivement le palais du Val sans Retour parce que, de tous ceux qui s'y sont égarés ou rendus de leur plein gré par bravade, curiosité, espérance de luxure ou passion d'amour, pas un seul, hormis Merlin lui-même, n'en est revenu. C'est dans ce lieu maudit, cependant, que Mordred a appris de moi tout ce qu'un esprit haut et puissant peut souhaiter connaître, et même ce qu'il ne doit pas souhaiter connaître, car la vérité, contenant en parties égales le bien et le mal, est indivisible, et on ne peut savoir à demi. A présent, il est temps qu'il endurcisse son corps, et apprenne de toi, puisqu'il est ton parent, les armes, la guerre et l'autorité. Mon désir est qu'il te serve et devienne membre de la Table Ronde.

– Que n'a-t-il appris cela de son père ? dit un des chefs avec arrogance et colère. A-t-il une naissance que notre loi puisse approuver, ou celui qui l'a engendré est-il une de ces innombrables proies disparues à jamais dans ton antre de bête féroce ? La question ne devrait pas t'embarrasser, puisque tu viens ici publiquement te vanter de tes crimes, comme si tu étais au-dessus de la loi. Mais prends garde, bien que tu sois de sang royal. Nul à Logres, pas même le roi, n'est au-dessus de la loi, ainsi que l'ont voulu Merlin et ceux de la Table Ronde. »

Arthur porta la main à son épée, mais je le retins et vins me placer aux côtés de Morgane et de Mordred. Je m'adressai à celui qui venait de parler.

« Le père de Mordred et Morgane étaient unis par des liens familiaux, si cela peut rassurer ta vertu inquiète. J'ai moi-même décidé de rompre ces liens et de condamner cet homme à l'oubli. C'est dire que son nom ne sera pas prononcé. Tu devras te contenter de ma parole. Quant à ce que tu as dit de la loi de Logres, cela est juste et tu as raison, même si tu m'apparais comme un chien soudain pris de rage et cherchant à mordre ses maîtres. Voici ma décision. Mordred sera accueilli à la cour, traité selon son rang et éduqué comme le veut sa mère. Et il deviendra membre de la Table Ronde, s'il s'en montre digne. Toi, Morgane, ayant pendant plus de dix ans bravé la loi de Logres et lassé la patience du roi et de Ban qui, par courtoisie envers la famille d'Arthur, t'a considérée comme un hôte sacré sur sa terre, tu partiras pour un exil définitif. Je te donne Avalon, la riche et belle île des Pommiers, au large des côtes nord de Bénoïc. Dès à présent, cette île ne fait plus partie de Logres, mais devient ta terre soumise à ta propre loi. Ainsi tu seras à l'abri de la justice de Logres, car il n'est pas bon que la sœur du roi soit traitée comme une criminelle, et Logres sera à l'abri de tes exactions et de la honte qui s'ensuit. Mais tu n'auras plus le droit de quitter ce lieu, sous peine de mourir sans jugement, car, ayant revendiqué dans un esprit de défi et de scandale la responsabilité de tes actes, tu t'es déjà jugée toi-même. Quant à ceux qui se mettront en position d'être les victimes de ton caprice ou de ta haine du genre humain, ils doivent savoir que, dès lors qu'ils auront posé le pied sur ta terre, ils ne seront plus protégés par la loi de Logres, et leurs familles n'auront aucun recours contre toi auprès du roi. De sorte que, si tu veux créer un enfer circonscrit au milieu du royaume de la Table Ronde, tu le peux, mais dans cet enfer, il n'y aura que des damnés volontaires.

– J'accepte ta décision, dit Morgane.

– Qu'il en soit ainsi », dit Arthur, et j'eus peine à reconnaître sa voix.

Puis il quitta brusquement la salle.

« Est-ce que ta mère t'a dit quelque chose de moi, Mordred ?

– Oui, Seigneur. Elle m'a dit que tu l'as élevée. Que tu es le seul être qu'elle ait jamais aimé. Qu'elle t'aime comme on aime un père, un homme et un esprit, et que tu l'aimes comme on aime un enfant. Que tu es le vrai maître de Logres, un faiseur de rois, et que tu as créé la Table Ronde. Elle m'a dit aussi que tu m'as aidé à naître et que tu es mon ennemi. »

Nous étions seuls dans une salle du palais de Carduel. Morgane avait introduit à la cour une arme contre Logres, soigneusement préparée pendant douze ans. Mais cette arme ne se savait pas elle-même. Morgane était trop intelligente pour avoir assigné un rôle à Mordred, car tôt ou tard celui qui joue un rôle se trouve démasqué. Elle avait sans doute fait lentement pénétrer dans son esprit un poison subtil et diffus dont il n'avait pas conscience, partant de ce principe que la sincérité exploitée d'une certaine façon est une arme plus durable et plus redoutable que l'hypocrisie la plus élaborée. Aussi Mordred ne devait-il pas séduire Arthur, la cour et moi-même malgré ses sentiments profonds, mais à cause d'eux. C'était une possibilité de ruine apportée par l'innocence, l'hypothèse de la trahison au cœur même de la loyauté. Mais il n'était pas impossible de dévoyer cette stratégie en raison même de son ambiguïté.

« Et toi, Mordred, es-tu mon ennemi et celui de Logres ?

– Pourquoi, Seigneur ? Ne suis-je pas ici pour me montrer digne de la Table Ronde ? Et si je l'étais, qu'aurais-tu à redouter d'un enfant sans pouvoir et sans appui ?

– Sais-tu qui est ton père ?

– C'est Arthur de Logres, le roi. Je sais aussi que je dois garder cela secret devant tout autre que toi, car mes parents sont frère et sœur, ce qui est un crime aux yeux des hommes.

– Tu m'as dit que j'aime Morgane comme on aime un enfant. Te contentes-tu de reproduire les paroles de ta mère, ou ces mots ont-ils pour toi un sens ? »

Il se troubla et baissa la tête. Il resta un instant silencieux, au bord des larmes. Enfin il me dit :

« Non, cela n'a pas de sens. Car ma mère n'a aimé qu'un seul être, qui n'est pas moi, et pour mon père, s'il sait que j'existe, je ne peux être qu'un objet de honte et de scandale.

– En retires-tu une amertume ? »

Il hésita à nouveau.

« Oui, Merlin.

– Cela se guérit. Et puis, un peu d'amertume donne de l'âme à une machine parfaite. Je sais à présent, Mordred, que je ne suis pas ton ennemi. »

Les appels et les cris des chasseurs, le galop des chevaux, l'aboiement des chiens emplissaient la forêt de Carduel. J'allais au pas égal de ma monture à travers les sous-bois. Je m'y sentais bien. La cour me pesait et je multipliais ces promenades qui me conduisaient toujours à la clairière où autrefois Morgane enfant s'était révélée à moi dans un abandon qui avait à jamais marqué ma mémoire.

J'en étais tout près lorsque brusquement mon cheval se cabra en hennissant, donnant tous les signes de la frayeur. Je sautai à terre et l'attachai à un arbre. Puis je pénétrai dans la clairière. Adossée à un tronc, une jeune fille portant un habit de chasse tenait dans ses mains un tronçon de lance qu'elle pointait en avant. Elle était très haute de taille et donnait l'impression d'être rompue à tous les exercices du corps, de pouvoir défier l'homme sur ses propres terres de force et d'adresse, et cependant le modelé ravissant et délicat de ses traits et de son cou, l'opulence de sa chevelure, la finesse longue et pleine de ses membres et l'épanouissement gracieux de ses seins faisaient triompher une idéale chair de femme sous les oripeaux et la posture de la virilité. C'était une Diane en difficulté. Elle était pâle, mais se tenait fermement, sans montrer aucune terreur. A quelques pas, un sanglier, un solitaire monstrueux aux défenses acérées, le poil souillé du sang coulant d'une blessure qui exaspérait sa hargne meurtrière, s'apprêtait à la charger de toute sa masse obtuse et compacte. Je me plaçai entre lui et la chasseresse et, sans plus faire le moindre mouvement, je me mis à parler à la brute :

« Sanglier, je sais que tu es sur ta terre et que tu as été attaqué et blessé sans qu'il y eût de ta part ni défi ni offense vis-à-vis de ton agresseur. Et ainsi il n'est que justice que tu te défendes contre le caprice et l'arbitraire d'une espèce qui a fait du meurtre et de la mort un plaisir et un jeu destinés à satisfaire dans la paix cet insatiable désir de tuer la poussant à se détruire elle-même dans la guerre. Cependant examine la situation avec l'œil du stoïcien. Considère qu'une victoire purement philosophique doit être préférée à toute autre et aussi la médiocre gloire que tu retirerais de l'assassinat d'un être aussi débile. Tu es fort et puissant, et la vertu principale du fort est de montrer ce mélange de dédain et de mansuétude à l'égard du faible rendu enragé et stupide par sa faiblesse même. Aussi détourne-toi de ta juste vengeance et laisse ton ridicule bourreau à la pire de toutes les humiliations, celle qui naît de la défaite morale, d'autant plus cuisante pour une conscience, si vide ou pervertie soit-elle, que la leçon est donnée par une créature sans âme, comme si la matière montrait à l'esprit la voie de la noblesse et de la générosité. »

A ce moment le sanglier, qui avait retenu sa charge, intrigué par les modulations de ma voix, fit demi-tour et quitta la clairière au petit trot. J'entendis derrière moi un rire et me retournai. La jeune fille s'approcha.

« Je te remercie de m'avoir sauvée, Seigneur Merlin, bien que je n'aie jamais été aussi insultée de toute mon existence. Je vois que ta légende dit vrai et que tu peux convaincre et charmer les bêtes sauvages aussi bien que leurs proies.

– Je ne sais qui, de toi ou du sanglier, tu désignes par sauvage et par proie, ni qui j'ai sauvé de l'autre. Qui es-tu ?

– Mon nom est Viviane. Je suis la fille de Cardeu, roi des Redones, que tu mis autrefois à la tête de son peuple à cause de sa science et de sa bénignité. Il m'a envoyée à Logres pour le représenter aux noces d'Arthur.

– Cela m'étonne. Car je me souviens que Cardeu était contrefait, alors que tu es belle, et qu'il était sage, alors que tu montres bien peu de sagesse en imitant l'homme dans ce qu'il a de plus vain.

– J'ai hérité les traits de ma mère, morte à ma naissance. Cardeu m'a donné le goût des exercices du corps et m'a fait apprendre les armes et les chevaux, le combat et la chasse, car il voulait un héritier mâle. Et il m'a aussi donné le goût de l'étude et du savoir, car il voulait un héritier spirituel. J'ai été son fils, sa fille et son élève. Et j'ai senti croître en moi tout ensemble le désir de l'autorité et de la soumission, le désir de l'indépendance et de l'amour, le désir de prendre et d'être prise, le désir de tous les enfantements, ceux de la chair et ceux de l'esprit. Et le désir de te rencontrer, Merlin, lieu vivant de tous les contraires. Car la satisfaction de ce dernier désir signifie peut-être pour moi la satisfaction de tous les autres.

– Il semble que tu n'es jamais modeste dans le choix de tes gibiers, quels qu'ils soient. Que veux-tu de moi ?

– Je veux que tu m'enseignes, comme l'a fait mon père, et plus que lui.

– J'ai déjà eu deux enfants et deux élèves, les meilleurs qu'un père et qu'un maître puissent souhaiter. A l'un j'ai appris la nature des êtres, c'est-à-dire le pouvoir et le devoir, parce que son destin était de dominer le monde. A l'autre j'ai appris la nature des choses, c'est-à-dire le vrai savoir, parce que je l'aimais. Mais tu n'as pas de grand destin, et je n'ai pas d'amour pour toi. Alors pourquoi me plierais-je à ta volonté ? Me fais-tu le grand honneur de me prendre à ton service ? Si c'est le cas, de quels gages peux-tu payer mes efforts ?

– Je n'ai rien à te donner que je ne tienne déjà de toi par mon père, sinon moi-même.

– Je n'ai que faire d'un chasseur. »

Elle arracha ses vêtements, les jeta à ses pieds et se tint nue devant moi. Et je vis que son corps était plus beau, sa chair plus captivante encore que je ne l'avais soupçonné. Elle était à la fois hautaine et comme effrayée de son propre geste.

« Je ne suis pas un chasseur, me dit-elle avec colère. Je suis Viviane. Regarde-moi. Voici tes gages. Prends-les. Si la maturité de l'esprit peut s'acheter avec la nouveauté et la tendresse de la chair, prends-moi. Que cela soit ta première leçon. »

Et je la pris. Après la douleur initiale, elle s'abandonna au plaisir, provoquant le mien. Je vis un peu de sang rouge tacher l'albâtre de ses cuisses. Et cela me ramena brutalement à une autre chair meurtrie qui palpitait encore en moi depuis l'enfance.

Et se succédèrent les vagues du désir, les crêtes de la fureur et de la jouissance et les creux du néant. Quand je revins à moi, la nuit était tombée. La forêt s'agitait languissamment dans la brise tiède, et les pâleurs de la lune pleine coulaient sur les feuillages. Je tendis à Viviane sa défroque d'homme et elle s'en vêtit. J'allai chercher mon cheval. Je la fis monter derrière moi. Elle entoura ma taille de ses bras et je sentis son corps s'appuyer au mien. Nous rentrâmes à Carduel sans prononcer une parole.

« Le temps est venu pour moi, dis-je à Arthur, de me séparer de ma création, et ainsi de savoir si elle est durable ou éphémère, si elle peut vivre d'elle-même ou si elle dépend de la volonté et de la conviction d'un seul homme, ce que prétendait Uther. Je vais donc te laisser seul à ton monde, qui désormais n'est plus le mien. Dans les veines du bois vivant de la Table coule une sève neuve. Tu es l'aîné de ses membres et tu as à peine plus de trente ans. Tu as anéanti les Saxons. Gorre terrifié fait des offres de paix, sachant que l'heure est proche où tu l'envahiras. Ton neveu Gauvain, qui t'a donné l'Orcanie héritée de Loth, tient les Pictes en échec. Il te faudra les écraser et consolider tes possessions du Nord. Logres est le phare de l'Occident qui brille dans la nuit des barbares et vers qui se tournent tous ceux qui souffrent de violence et d'arbitraire. Morgane, ce mal chéri, est en exil.

Tu n'as que deux ennemis redoutables : ta propre passion et Mordred. Mais tu peux faire des alliés de l'une et de l'autre. Car la passion a deux filles opposées : la mélancolie qui, ne voyant partout que vanités, dissout l'âme et paralyse le corps, et l'action qui transforme l'univers. Quant à Mordred, s'il se montre ambitieux et revendique, à cause de votre secrète parenté, car il sait qu'il est ton fils, le pouvoir et les honneurs, fais en sorte qu'il périsse. Mais donne-lui pouvoir et honneurs s'il ne veut rien pour lui-même. Défie-toi aussi chez lui d'une vertu excessive. Car toute cause, quelle qu'elle soit, est menacée par la corruption et le fanatisme, et je ne sais lequel de ces vices Morgane a voulu introduire à Logres pour le détruire. Moi, je m'en irai loin d'ici, dans un lieu désert où tu ne pourras me trouver. Je m'y livrerai à l'étude, à la contemplation et à la paresse, qui sont les trois vertus du philosophe. Leodegan avait raison. Je suis sur une terre de grande solitude, non seulement à cause de la légende de mes origines qui m'a dès l'aube de ma vie séparé des hommes, mais aussi parce que, venu d'un monde que j'ai contribué à faire disparaître et qui me retient captif par le lien puissant de la nostalgie, je me sens étranger à celui que j'ai inventé. Depuis la mort d'Uther, je n'ai eu que deux êtres à aimer et à qui parler : Morgane, qui a décidé elle-même son exclusion, et toi, dont le destin exige la fin de ma tutelle et ma disparition. Je vais donc, complétant la prophétie de Blaise qui disait que j'étais né du chaos pour vaincre le chaos, retourner au chaos. Celui de la nature, de la matière inerte et de la vie sans projet. J'irai dans l'oubli, au-delà du bien et du mal, me réconcilier avec moi-même. Mais toi, Arthur, tu seras dans mon âme et dans mon esprit jusqu'à la fin. »

Viviane, lorsqu'elle était venue à Logres pour assister aux noces d'Arthur, était accompagnée d'une troupe nombreuse et brillante. Et lorsqu'elle décida de retourner à la cour de son père, dans le pays des Redones, sa suite se trouva grossie de gens de Carduel, hommes et femmes nobles, chasseurs et savants, poètes et musiciens qui, captivés par la séduction de son esprit et de son corps, ne voulaient plus la quitter. Comme elle savait que je devais traverser la mer pour rejoindre le lieu de ma retraite, connu de moi seul, elle m'offrit de me conduire jusqu'au rivage de Bénoïc. Et, après une traversée au cours de laquelle nous passâmes au large d'Avalon que je ne pus regarder sans tristesse et sans regret, nous abordâmes la côte nord de l'Armorica, dans une crique déserte et bien abritée, non loin de la plus belle forteresse du roi Ban, qui s'appelait Trèbes. Viviane fit installer un grand campement sur le rivage, à la tombée de la nuit, et toute sa cour se réunit joyeusement autour des feux. Lorsque je vis que chacun était occupé à festoyer et à se divertir, je quittai le camp et, à pied, m'enfonçai dans la nuit. Je me dirigeai vers le Bois en Val, dont l'orée septentrionale était située à une heure de marche de la côte. Je l'avais choisi pour mon exil, parce que personne n'y pénétrait jamais et qu'il inspirait une crainte superstitieuse. Une tradition venue des anciens âges en avait fait un *néméton* sacré et maléfique. J'entrai dans le bois et avançai avec difficulté à travers la végétation touffue. Après plusieurs heures de progression lente, j'arrivai jusqu'à un immense dégagement cerné par le mur compact des frondaisons. Un grand lac, au pied d'un haut piton rocheux, étalait son eau lisse et noire où se reflétait la lune. Il y avait en son milieu une île boisée. J'escaladai le piton et parvins à une plate-forme située presque au sommet devant l'entrée d'une caverne vaste et profonde. De là, on dominait tout le bois qui s'étendait jusqu'à l'horizon du sud, et la vue, barrée à l'orient par les fortifications de Trèbes, pénétrait loin sur la lande rase de l'ouest et sur la mer, au nord. Près de la côte, les feux de mes compagnons de voyage se détachaient avec netteté, parfois masqués par les corps qui s'interposaient entre moi et leurs éclats dansants. Il me semblait presque entendre les chants et les rires. C'était comme un ultime et mélancolique aperçu du monde d'hommes que je quittais. Plus proche, une paisible sauvagerie montait du bois à l'assaut du rocher. Je restai là, à contempler la nuit, à m'imprégner de cette nature dessinée en noir et blanc par les feux du ciel, qui serait jusqu'à mon terme le paysage de mes heures.

J'allai cueillir une brassée de feuillage et entrai dans la caverne. Elle était salubre et sèche. Au fond, je disposai une litière où je jetai quelques fourrures et je m'étendis sur cette couche. La lune apparaissait à l'ouverture de la grotte dans laquelle sa lumière froide pénétrait. Elle fut soudain obscurcie par une forme haute et gracieuse qu'elle nimbait d'un halo semblable à une gloire ternie. Viviane s'allongea auprès de moi.

« Ainsi, lui dis-je avec une sévérité feinte, dans le premier moment de ma vie érémitique, tu me poursuis comme une tentation du monde et me mets dans la position d'Antoine d'Héracléopolis ayant à lutter contre les mirages de la chair.

– Garde-moi auprès de toi encore quelques heures. Jusqu'au matin. Seulement jusqu'au matin.

– C'est plus qu'il ne t'en faut pour triompher. »

Je l'entourai de mes bras et ajoutai :

« Si Antoine l'anachorète avait eu une pareille tentation, il y aurait cédé. Quant à moi, je ne chercherai même pas à te résister. »

Et Viviane prolongea ces heures toute la nuit, tout le jour et une partie de la nuit suivante. Enfin le sommeil nous terrassa. Je m'éveillai en la sentant se séparer de moi et quitter la couche. Elle s'avança jusqu'à l'entrée de la caverne et commença une étrange incantation où je reconnus la science ambiguë de Cardeu imprégnée de la superstition des anciens druides. Elle invoquait le dieu gaulois Ogmios, lui demandant, si elle ne pouvait m'attacher à elle par la passion, de me retenir captif par les liens de l'enchantement. Et cette naïveté désespérée au milieu de l'intelligence, cette preuve d'amour donnée par la malédiction firent qu'elle parvint à son but. Elle revint se coucher à mes côtés et je fis semblant de m'éveiller.

« Le jour va poindre, Merlin. Vas-tu me chasser ?

– Que désires-tu ?

– Je désire rester pour toujours auprès de toi. Je ne retournerai pas chez mon père, mais ferai du Bois en Val mon domaine et le lieu de ma cour. Je construirai avec ceux qui voudront lier leur destinée à la mienne un palais dans l'île du lac. Nous nous ferons terrassiers, tailleurs de pierre, maçons, bûcherons et charpentiers. Ta retraite sera ignorée de tous, ce rocher interdit, et nul autre que moi ne pourra te visiter. Je t'aimerai et tu m'enseigneras. Voilà ce que je désire. »

Et Viviane devint la Dame du Lac.

Près d'un demi-siècle s'écoula.

Les jours se succédaient, non plus marqués par les grands faits des hommes et les convulsions de l'histoire, mais presque semblables, changeant imperceptiblement du fait des saisons, des variations du ciel et de l'air, des altérations lentes dans l'aspect des frondaisons et dans les coutumes adaptées des animaux. Le temps était soumis aux cycles où se diluait toute finalité décisive. La vie sauvage, tour à tour exubérante et assoupie, intarissable et abstruse, ne prenait sens que par mon enquête destinée à pénétrer son secret. Ce secret était aussi celui de l'homme, de sa part obscure luttant contre les inventions de l'esprit et le tirant à rebours vers un chaos primitif qui peu à peu s'ordonnait sous mes yeux pour constituer une loi naturelle. Je vis ainsi que l'âme n'était pas égarée par l'opposition de l'ordre absolu de la pensée et du désordre absolu des choses, mais par l'opposition d'une logique abstraite apparente, celle de la conscience, et d'une logique secrète, celle de l'instinct, donc par l'opposition de deux lois dont je cherchais la réconciliation. J'étudiais la vie des plantes et leurs propriétés bénéfiques et maléfiques qui n'étaient parfois différenciées que par de subtiles questions de mesure, ce qui éclairait matériellement un banal conflit entre religieux et philosophes, les uns voyant dans le bien et le mal deux principes en guerre radicale, les autres un même principe dont l'ambiguïté était affaire de proportions. J'observais aussi les animaux, et bientôt non seulement ils cessèrent de me fuir et tolérèrent ma présence, mais ils vinrent à ma rencontre au cours de mes promenades dans le bois, quémandant un peu de nourriture, l'apaisement des souffrances causées par leurs blessures, ou tout simplement une caresse. Fuyant comme moi les sujets de Viviane, ils me dissociaient ainsi de mon espèce, ce qu'avaient fait auparavant les hommes, mais avec des sentiments contraires, et cette différence qui avait créé autour de moi le vide et la crainte peuplait à présent ma solitude d'affections sauvages. Certains, et non des moindres, escaladaient même le pic rocheux pour passer la nuit dans ma caverne ou s'y réfugier lorsque les gens du lac organisaient une chasse. Il n'était pas rare qu'un lourd sanglier ou qu'un grand cerf vînt ainsi s'étendre au pied de ma couche ou veiller à l'entrée de la grotte, après avoir partagé mon repas de verdures. Jusqu'au plus féroce et au plus méfiant d'entre eux, le loup et le renard, qui demandaient à être flattés comme des chiens et me léchaient la main, m'apportant parfois la chair d'une proie encore chaude que je refusais avec politesse. Je leur parlais à tous, et il me semblait qu'ils aimaient cela. Ils étaient capables d'invention, d'intention et d'amour, et ce qui les excluait de la loi morale et limitait leur conscience à l'élémentaire était qu'ils ne pouvaient concevoir à l'avance leur propre mort, ne sachant pas tirer de leçon de celle des autres. Ainsi vivaient-ils quotidiennement une sorte d'éternité, sans curiosité ni valeur, soumis à l'infinité du cycle. Et je voyais dans cette parenté d'un éternel né de l'inconscience et de l'Éternel imaginé par la conscience absolue de l'homme une cruelle inutilité de l'intelligence.

Et puis il y avait Viviane. Elle me faisait de fréquentes visites et, comme elle l'avait désiré, je me consacrais à sa chair et à son esprit, tirant des deux un plaisir sans cesse grandissant. Au fil du temps cette chair et cet esprit mûrissaient, et Viviane devenait plus voluptueuse et plus sage, c'est-à-dire plus inventive. Elle combattait victorieusement dans ma propre chair et dans mon propre esprit le froid et l'indifférence de la vieillesse, me disant que l'âge ne pouvait avoir prise sur moi à cause de mes origines.

Par elle me parvenaient encore des échos du monde et de Logres. Car elle quittait parfois le Bois en Val pour quelque court voyage dans l'empire d'Arthur, ou y envoyait des hommes chargés de lui rapporter des nouvelles du dehors. Certains événements eurent sur sa vie des conséquences directes. C'est ainsi qu'en l'année quatre cent quatre-vingt-treize, peu de temps après notre arrivée au Bois en Val, le roi Claudas, souverain d'un vaste pays appelé Terre Déserte, au sud de l'Armorica, entra en guerre contre Ban de Bénoïc et son frère Bohort de Gaunes. Cette guerre dura sept ans et s'acheva avec le siècle par la victoire de Claudas et la mort de Ban et de Bohort. Arthur, qui avait entrepris au nord de la Grande Bretagne une lutte acharnée contre les Pictes, avec à ses côtés Mordred et Gauvain, ne put venir au secours de ses alliés. Et Claudas devint maître des trois royaumes. Viviane recueillit dans son palais du Lac le fils de Ban, Lancelot, ainsi que les fils de Bohort, Lionel, l'aîné, et Bohort à qui on avait donné le nom de son père parce qu'il avait vu le jour après la mort de celui-ci au combat. Viviane devint la mère adoptive des trois enfants et se chargea elle-même de leur éducation. Elle me proposa de rompre mon isolement en leur faveur et de les enseigner. Je refusai. Elle m'en parlait souvent, me demandant conseil, et je la poussai à faire d'eux des guerriers et des sages dévoués à la cause d'Arthur et de la Table Ronde, comme autrefois le roi des Galles avait élevé Pendragon et Uther pour qu'ils me servissent. Et plus tard elle les conduisit à Carduel et les présenta à Arthur qui leur donna une armée et l'appui de Mordred pour reconquérir leur héritage. La deuxième guerre de Claudas commença en l'année cinq cent vingt. Lancelot et Mordred y accomplirent de tels exploits qu'on ne put distinguer qui des deux était le meilleur combattant et le meilleur stratège. Claudas perdit ses conquêtes, sa propre terre et enfin la vie. Lancelot fut roi de Bénoïc, Lionel roi de Gaunes et Bohort roi de la Terre Déserte, étendant l'influence de Logres sur une grande partie de la Gaule. Les trois jeunes souverains devinrent membres de la Table Ronde. Ils visitèrent leur mère adoptive et il y eut une grande fête au palais du Lac. Le lendemain, Viviane, partagée entre la joie et le souci, me dit que Lancelot aimait avec passion une femme de vingt ans son aînée, et qu'il était aimé d'elle. Cette femme était la reine Guenièvre.

Puis le tumulte s'éloigna de l'Armorica. Arthur s'empara de Gorre et écrasa les Pictes et les Scots de Dalriada. Là encore, Mordred et Lancelot s'illustrèrent par leur valeur guerrière et leur témérité au combat, leur dévouement absolu au roi et leur générosité envers les vaincus. Et, comme il y avait eu la paix d'Uther, il y eut la paix d'Arthur.

La paix du Bois en Val se trouva en harmonie avec la paix de Logres. Les saisons s'écoulaient. Mes cheveux blanchissaient, et lorsque je me retournais vers mon passé, ma vie me semblait infinie et ma naissance perdue au-delà de l'horizon de l'histoire. Dans la brume de ces origines devenues légende erraient les ombres des morts aimés gisant à Stanhenges. Pourtant je ne sentais dans mon corps aucune lassitude, alors qu'un détachement serein et mélancolique peu à peu envahissait mon esprit toujours au travail, occupé par la matière et le temps immédiats dans sa recherche de la loi universelle. J'aimais encore Viviane, son corps plus tendre et plus lascif, plus accueillant, les triomphes de sa chair alourdie un peu vaincue par l'âge, l'éternel printemps de son esprit avide de plaisir et de savoir. Le palais du Lac se dépeuplait, et elle ne cherchait pas à remplacer les morts, voulant que la vie de son royaume vaste de quelques arpents finît avec la sienne.

Logres invincible et une Table Ronde devenue mythe s'incarnaient dans une trinité presque divine : Arthur,

Mordred et Lancelot. Trois générations représentant le meilleur de l'homme. Cependant dans le ciment vertueux qui soudait cette trinité entraient quelques ingrédients corrosifs jusqu'alors neutralisés par l'action et la guerre, par cette obscure générosité de la violence entretenue par le fait de risquer sa vie aux côtés de l'autre et pour l'autre. Ces ingrédients étaient l'inceste, l'adultère et le mensonge. Mais la paix durait, et tout tenait ensemble, comme si Dieu et Satan s'étaient associés pour porter un même ouvrage à un degré de perfection jamais atteint. Et cet ouvrage dont j'avais jeté les bases était comme le prolongement monumental de ma propre ambiguïté. Peut-être en fin de compte avais-je réussi.

Le rêve s'effondra d'un coup. Le scandale de l'amour de Guenièvre et de Lancelot éclata au grand jour. Et il y eut la guerre civile. Arthur et Lancelot s'affrontèrent en Armorica, et la régence de Logres fut confiée à Mordred qui n'avait pas voulu entrer dans cette querelle. Mais bientôt celui-ci, poussé par la déception et la colère devant cette victoire de la passion et du désordre sur l'esprit et la loi, victoire réveillant en lui une rancœur ancienne contre l'égarement de la chair dont il avait été le produit et la victime, se mit à haïr Arthur et Lancelot à cause de leur folie et de son dérisoire motif, une chienne vieillissante toujours en rut, les rendant à ses yeux indignes de la Table Ronde. Ainsi, ce fut le fanatisme qui le conduisit à la trahison. Il découvrit publiquement ses origines et le crime passé du roi et se fit proclamer souverain légitime de Logres. Il fit mettre à mort Guenièvre. Arthur conclut une trêve avec Lancelot et rentra en Grande Bretagne à la tête de son armée.

Le père et le fils allaient se déchirer.

Morgane triomphait.

Alors je quittai le Bois en Val et je revins au monde.

Lorsque j'arrivai à Camlann, tout était consommé.

Mon cheval avançait avec prudence, évitant non sans mal les corps étendus, faisant un brusque écart lorsque, dans cette mer de chair morte, quelque chose bougeait, encore animé par les ultimes douleurs de la vie. Cette apocalypse, qui marquait mes retrouvailles avec un monde dont je ne percevais que la dépouille, me ramenait à une genèse, à un autre cheminement au milieu d'un charnier, mon premier contact perdu dans la nuit du temps avec la mort massive. J'entendais la voix grave, aimée et haïe, de celui dont la loi avait fini par triompher : « Il n'y a que la guerre, Merlin. » Et dans la lumière sanglante de cette aube et de ce crépuscule identiques cernant les éclats d'un jour éblouissant et fugitif qui avait été celui de la Table Ronde, je voyais le souvenir et l'annonce d'une nuit illimitée.

L'entassement des corps se faisait plus compact autour des chefs qui avaient attiré sur eux toute la fureur du combat. Ils gisaient, percés de coups, dans leurs riches équipements souillés et rompus, réunis dans la hideuse fraternité du néant comme ils l'avaient été autrefois dans l'idéal, avant d'être séparés par cette férocité inégalée qu'engendre l'amour soudain changé en haine. Presque tous m'étaient étrangers, mais j'en reconnus plusieurs que j'avais quittés au temps de leur jeunesse, lorsqu'ils avaient remplacé à la Table leurs pères morts dans les collines de Badon. Je donnais des noms à ces faces dont l'identité se cachait sous un masque où se croisaient les sillons tracés par l'âge et par le fer, comme travaillé dans une cire qui fixait l'expression lointaine d'une paix absolue ou la grimace de la fureur et de la souffrance : Gauvain, Sagremor, Yon, Karados, Lucan, Yvain... Un vieillard couché sur le dos, dont la chevelure et la barbe de neige étaient poissées de sang, ouvrait une bouche noire et édentée, comme s'il lançait au ciel une ultime imprécation. Et j'eus peine, dans cette figure de la décrépitude et du désespoir, à identifier les traits lourds, obtus et joyeux de Kay, frère de lait d'Arthur. Kay le fidèle. Comme il restait toujours dans les combats aux côtés du roi, je recherchai dans les environs le corps de celui-ci. Je trouvai Mordred. Un instant je le pris pour Arthur. Mais dans ses yeux contemplant le vide, dont la splendeur était à peine voilée par la mort, je reconnus le regard vert de Morgane. Son visage intact et serein, encadré par de longs cheveux gris qui seuls indiquaient son âge, avait gardé sa beauté et résisté aux assauts du temps. Mordred, traître par excès de fidélité, monstre par excès d'idéal, produit parfait du monde que j'avais créé et qu'il avait détruit en raison même de cette perfection. Ses mains étaient crispées autour d'une lame qui pénétrait profondément dans son ventre et il la serrait avec tant de force que le tranchant lui avait entamé les doigts. C'était une arme magnifique, la plus belle de Logres. Je l'avais moi-même donnée autrefois au roi, le jour de son avènement. C'était l'épée d'Arthur. Ainsi le père avait-il tué le fils. Et sans doute le fils avait-il entraîné le père dans la mort, car seule la mort pouvait expliquer l'abandon de cette arme. Je cherchai à nouveau le cadavre du roi, mais je ne pus le découvrir. Alors je mis pied à terre, arrachai l'épée à la chair de Mordred et la liai à ma ceinture. Puis, poussé par je ne savais quel amour perplexe, je pris le corps dans mes bras et le hissai en travers de mon cheval. Il était très grand et très lourd, et je vis que mes membres desséchés n'avaient rien perdu de leur vigueur. Et devant cette ténacité de la vie enracinée en moi, signe d'éternité dans cette fin du monde, malédiction d'une conscience forcée à durer au milieu de l'oubli, j'éprouvai de l'amertume et du dégoût.

Je repris ma route. J'arrivai sur une hauteur dominant les champs de Camlann. Au nord, le mur d'Hadrien fuyait vers l'horizon oriental où il se perdait, baigné par les derniers feux du crépuscule. Au sud, il y avait un immense campement. Je me dirigeai vers lui. A mesure que je m'en approchais, je voyais des silhouettes s'agiter. Des guerriers s'affairaient. D'autres, entassés dans un enclos, étaient assis sur le sol. Ils semblaient entravés. Il restait donc des survivants, vainqueurs et vaincus dérisoires dans l'énormité de la tuerie. Un groupe d'hommes s'avança à ma rencontre. L'un saisit les rênes de mon cheval.

« Qui es-tu ? me demanda-t-il.

– Je suis Merlin. »

Il y eut un moment d'effarement, de stupeur mêlée d'épouvante. Puis un guerrier âgé s'avança et baisa le pan de mon manteau.

« Je te reconnais, Seigneur. J'étais à la journée de Badon, peu avant ta disparition. Mais tu ne peux savoir qui je suis, un soldat anonyme dont le temps, qui n'a pas de prise sur toi, a déformé le corps et les traits.

– Je te reconnais moi aussi. Tu étais présent lorsque Leodegan est mort. »

Il se mit à pleurer. Et dans ses larmes, il y avait de la gratitude et une sorte de soulagement, comme si un monde devenu sans repères retrouvait soudain un sens, comme si ce qu'il avait pris avec terreur pour une conclusion se révélait un simple épisode. « Le peuple te suivra, car s'il lui importe peu de comprendre, il aime croire. » Les paroles de Blaise me revenaient en mémoire.

« Calme-toi, lui dis-je. Et réponds. Es-tu à Mordred ou à Arthur ?

– A Arthur, car je suis loyal.

– Où est le roi ? Est-il mort ?

– Il est dans sa tente, blessé. Il est entre la vie et la mort.

– Et les chefs ?

– Tous morts.

– Transportez Mordred dans la tente du roi. »

Ils parurent surpris, mais obéirent sans murmurer. Je pénétrai dans la tente. Sur une couche rougie de sang, un grand corps gisait. Il était nu jusqu'à la ceinture, et une large plaie barrait la poitrine. Il exprimait à la fois la puissance et la vieillesse. Les muscles entretenus par l'effort saillaient, mais l'âge, les rendant noueux, leur avait ôté cette harmonie pleine, longue et gracieuse de la chair neuve. Le visage émacié, presque aussi pâle que l'abondante chevelure blanche qui l'encadrait, conservait à travers les rides sa pureté de traits. Il était d'une noblesse sans égale. C'était Arthur, identique et transformé. Je restai un moment à le contempler. Il respirait faiblement, les yeux clos. Un médecin veillait au pied de la couche. Je le fis sortir. La plaie avait commencé à s'infecter. Je la débridai, ce qui arracha au roi un gémissement, je la lavai, la cousis et la recouvris d'un emplâtre que je confectionnai avec ce que je pus trouver dans le bagage du médecin. Je fis un bandage serré. Je forçai entre les lèvres d'Arthur le bec d'une outre dont l'eau emplit sa bouche. D'abord il toussa, rejetant un mélange de sang et d'eau. Puis il but avec avidité. Il ouvrit les yeux et me regarda. Il me tendit une main et je la pris dans la mienne. Et le croisement de ces mains de vieillards fortes et usées était comme le signe d'un ancien pacte renouvelé trop tard, à présent sans autre objet qu'un rêve à l'agonie. Un pacte d'amour gratuit cerné par le néant. Je tins cette main jusqu'au moment où Arthur sombra dans l'inconscience de l'évanouissement ou du sommeil. Alors je me levai et considérai le père et le fils étendus. Puis je sortis de la tente.

Il y avait devant l'entrée un mur d'hommes fait des survivants rassemblés. Ils pouvaient être plusieurs milliers. Ils attendaient. Je leur dis :

« Délivrez les prisonniers et donnez-leur des armes. »

Ils demeurèrent interdits. Personne ne bougea ni n'émit une parole.

« Regardez vers le nord. »

Dans la nuit tombante, on voyait, sur le rempart d'Hadrien, briller une multitude de petites lueurs.

« Voici les charognards venus se repaître du cadavre de Logres. Ce sont les premiers. Il y en aura d'autres. Il faut se battre ici. La retraite ne servirait à rien, et le roi ne peut être transporté. Nous n'aurons pas un homme de trop. Faites ce que je vous dis. »

Ils allèrent délivrer les prisonniers, et les ennemis se mêlèrent.

« A présent, comptez-vous, et comptez les chevaux. »

Ils étaient à peu près cinq mille, et les chevaux un peu plus nombreux.

« Combien étiez-vous avant la bataille ?

– Dix fois ce que nous sommes. Vingt mille avec Arthur, trente mille avec Mordred. Tous les guerriers de Logres. »

C'était le soldat de Badon qui avait parlé.

« Prends dix hommes avec toi, lui dis-je. Va observer ceux qui sont là-bas. Dis-moi qui ils sont, et combien. Fais vite. »

Il revint une heure après.

« Il y a l'armée de Gorre révoltée, qui n'a pas pris part à notre guerre, attendant son heure. Il y a des Pictes en grand nombre, et aussi des Scots. Ils sont au moins vingt mille, sans doute davantage. Ils campent. Ils seront là au matin, et il n'y aura plus un seul guerrier à Logres. »

Je rassemblai à nouveau les soldats et leur dis :

« Je veux que tous les hommes sans exception aillent avec tous les chevaux jusqu'au bois le plus proche. Chaque homme coupera dix pieux d'une paume d'épaisseur et de huit pieds de long et les rapportera ici. Il faut que cela soit fait avant la fin de la deuxième veille. »

Et à la sixième heure de la nuit, cinquante mille pieux s'entassaient devant le camp.

« Combien y a-t-il de chefs de la Table couchés là-bas ? demandai-je au soldat de Badon.

– Tous, sauf le roi et Mordred, qui sont ici, et les trois princes d'Armorica. Cela fait cent quarante-cinq chefs. »

Je m'adressai alors à la foule réunie dans la lumière des torches.

« Vous allez barrer la plaine de Camlann avec ces pieux, en procédant ainsi : vous les planterez à hauteur d'homme tous les trois pieds par groupes de trois cent dix alignés sur dix rangs de trente et un pieux. L'espacement des rangs sera de six pieds. Chaque groupe sera séparé du groupe voisin par une distance de dix pas, et devant chacun vous planterez un pieu solitaire. Il y aura cent quarante-cinq groupes déployés sur plus de quatre mille pas. A chaque pieu aligné vous attacherez un guerrier mort, et à chaque pieu isolé un chef. Vous les lierez aux chevilles, aux genoux, à la ceinture et aux aisselles pour qu'ils se tiennent bien droits, et vous nouerez leurs chevelures au sommet des pieux pour qu'ils aient la tête haute et ferme. Vous planterez le bois des lances dans le sol, et à chaque hampe vous fixerez la main d'un guerrier. Prenez toutes les cordes que vous trouverez dans le camp, et s'il n'y en a pas assez, faites-en avec le tissu des tentes, des couvertures et des vêtements. Tout doit être terminé avant l'aube. »

Je restai au chevet d'Arthur. Peu avant la fin de la quatrième veille, le soldat de Badon vint me dire que les hommes avaient achevé leur tâche. Je sortis de la tente et je vis, impeccablement alignée, étalée sur une énorme distance, la plus grande armée jamais réunie sur la terre de Logres. Le soleil apparut au-dessus des collines de l'est et l'acier brilla de mille feux dans la lumière du matin. Alors je dis aux soldats épuisés de monter à cheval et de venir se placer, sur une seule ligne, derrière les morts. Puis, au pas sans hâte de ma monture, je passai en revue cette armée de cadavres relevés pour défendre un monde moribond. Ils étaient maculés de sang. A certains il manquait un membre, et d'autres n'avaient plus de visage. Mais tous, liés au bois, se tenaient fermement, comme prêts au combat, animés par je ne savais quelle horrible détermination, invincibles. Gauvain semblait sourire, et Kay lançait sa malédiction sans fin.

L'ennemi apparut en rangs serrés sur la hauteur où je m'étais trouvé la veille. Il s'y figea, dans un silence absolu, découvrant d'un coup l'immense armée de Logres. Je partis vers lui au galop et arrêtai mon cheval à peu de distance des chefs. Je leur criai :

« Regardez-moi. Je suis Merlin. Je suis revenu des terres de la mort pour rappeler à la vie les guerriers tombés à Camlann. Ils sont là, debout, à nouveau frères. Ils vous attendent. Logres et la Table Ronde ne mourront jamais. Mais vous, vous serez anéantis. »

Je pris à ma ceinture l'épée du roi et la levai. Sa lame flamboya dans le soleil. Alors les cinq mille cavaliers de Logres poussèrent l'ancien cri de bataille d'Uther : « Pendragon ! » Et ce cri fut si puissant qu'il semblait avoir été lancé par cinquante mille bouches. Il roula sur la plaine et emplit tout l'espace. Et la terreur envahit l'âme de l'adversaire. Pris de panique, il reflua en désordre, chacun se taillant un chemin à coups d'épée, les cavaliers passant sur le corps des piétons. Depuis la hauteur, je vis des masses d'hommes s'écraser autour des brèches du mur comme un torrent impétueux enflé du chevauchement de ses eaux devant un goulet trop étroit. Et bientôt il n'y eut plus un seul guerrier ennemi sur la plaine de Camlann, sauf ceux qui avaient péri étouffés ou piétinés.

Je revins au campement au milieu d'une énorme acclamation. Les cavaliers montraient une joie d'enfant, semblant avoir oublié leur deuil, comme si leurs compagnons, au lieu de pourrir comme des suppliciés attachés aux bois de justice, étaient vivants et partageaient leur triomphe. Alors Arthur apparut à l'entrée de sa tente. Il regardait dans un émerveillement son armée debout. A travers le bandage, le sang ruisselait sur son torse et son ventre. Il fit un pas et s'effondra, mort.

Le lendemain, au point du jour, Lancelot arriva avec Lionel, Bohort et douze mille guerriers d'Armorica. Lorsqu'il vit les cadavres d'Arthur et de Mordred, il devint fou de douleur. Puis il resta prostré, murmurant sans fin le nom du roi.

A la huitième heure, le vent tourna et sauta au sud. La puanteur croissante du charnier, qui avait été chassée jusqu'alors vers l'orient, rejoignit au loin l'ennemi en fuite et le fit revenir sur ses pas. Ainsi il vit comment il avait été abusé, et il se prépara à investir le campement. Je dis à Lancelot, à qui jusqu'alors je n'avais pas adressé une parole parce que j'éprouvais à son égard ressentiment et mépris :

« Logres a vécu et toute bataille est devenue sans objet. Retourne dans ta terre.

– Cette bataille aura un objet pour moi. Celui d'y trouver la mort, car je n'ai plus envie de vivre. »

Et il y eut une seconde bataille de Camlann. Lancelot chargea à la tête de ses troupes et des cavaliers de Logres dont l'allégresse s'était muée en désespoir. Il écrasa Gorre, les Pictes et les Scots, mais il fut tué, ainsi que Lionel, Bohort et un grand nombre de leurs hommes. Des guerriers de Logres, pas un seul ne demeura vivant.

Je pris le commandement des soldats en deuil et, après avoir brûlé les dépouilles de Mordred et des chefs, laissant les morts debout veiller sur les morts étendus, emportant les cadavres des quatre rois, nous prîmes le chemin du retour en Armorica. Mais je n'allai pas jusqu'au rivage de Bénoïc. J'ordonnai qu'on me débarquât, avec le corps d'Arthur, sur les grèves d'Avalon.

C'était en l'année cinq cent trente-neuf. Le monde venait de s'écrouler une deuxième fois, dans les champs de Camlann.

Avalon était déserte. Les navires des guerriers d'Armorica terrifiés par la noire légende de l'île fuyaient vers l'horizon du sud où émergeait la ligne des rivages de Bénoïc.

Je m'engageai sur un chemin serpentant dans une forêt de pommiers chargés de fruits verts, promesse d'une récolte abondante et vaine qui resterait intacte jusqu'à la pourriture, ne nourrissant pas même les oiseaux. Car il n'y avait pas d'oiseaux. Rien d'animé ne se montrait sur la terre et dans le ciel. Le silence était écrasant. J'avançai, portant sur mes épaules le corps d'Arthur, et le bruit de mes pas alourdis par mon fardeau semblait s'amplifier démesurément. L'air lui-même était immobile, et les souffles constants du vent de mer, passant au-dessus de cet immense verger encaissé entre les murailles de la côte, ne tiraient aucun son, si ténu fût-il, des feuillages luxuriants.

Je parvins à une large clairière où était un palais fortifié. Les portes de l'enceinte étaient ouvertes, et je pénétrai dans la cour, puis dans des salles richement décorées. J'aperçus une haute silhouette qui semblait attendre. Je me dirigeai vers elle.

« Arrête-toi, Merlin. »

Je tressaillis, reconnaissant la voix magnifique et inchangée de Morgane. Je vis qu'une *palla* lui couvrait la tête, cachant complètement ses traits. J'étendis sur le sol, avec précaution, le cadavre du roi.

« Le père et le fils, ton frère et ton enfant, se sont entre-tués, entraînant Logres et la Table Ronde dans leur catastrophe. Je suis venu ici pour bâtir à Arthur un mausolée à l'abri de la profanation des barbares.

– C'est bien. Tu devras accomplir seul cette tâche, car je ne puis te donner d'aide. J'ai détruit tout ce qui m'a approché, et à présent je demeure solitaire. Prends tous les outils que tu trouveras. Prélève sur mon palais tous les matériaux nécessaires. Défais-le, s'il le faut, de fond en comble. Je m'occuperai de ta nourriture et de ton confort. Mais ne cherche jamais à m'approcher ni même à me parler à distance. Quand tu auras achevé le mausolée, place à l'intérieur non pas un, mais deux sarcophages. Puis, va-t'en. »

Et elle disparut dans les profondeurs du palais.

Je travaillai cinq longues années, jour après jour, sans autre temps de repos que les quelques heures nocturnes séparant le moment où je ne voyais plus ma main de celui où je la distinguais à nouveau. Je montai des échafaudages compliqués et fabriquai des machines destinées à soulever à une grande hauteur des objets pesants. Je pris dans l'enceinte et le palais tout le bois et la pierre que je pouvais utiliser, et ce qui me manquait, je le taillai dans le tronc des arbres et le granit des rocs. Je fis une seule salle rectangulaire, haute et vaste, sorte de *cella* périptère dont les colonnes ouvragées étaient en nombre tel qu'elles masquaient l'extérieur des murs. L'intérieur était dégagé et lisse, comme une caverne où le moindre bruit trouvait un long écho. La lumière n'y parvenait que par une grande porte à deux lourds battants de bois et de fer. Au centre, je creusai dans la pierre deux sarcophages, comme me l'avait demandé Morgane. Sur les murs, à l'exception de celui qui comprenait l'entrée, je gravai l'histoire de Logres : sur le mur de gauche, sa genèse, sur le mur du fond, son triomphe, et sur le mur de droite, sa chute. Puis je fis neuf stèles hautes de dix pieds, larges de cinq et épaisses de trois paumes. Sur chacune d'elles, je sculptai un portrait en bas-relief. Je les plaçai devant les murs dont elles étaient séparées par une distance de deux pas, les faces sculptées tournées vers les sarcophages. Devant le mur de la genèse, j'en dressai quatre, où étaient représentés mon grand-père, ma mère, Pendragon et Uther. Devant le mur du triomphe, j'en mis une seule, où j'avais figuré Arthur. Et devant le mur de la chute s'alignaient les quatre dernières montrant Morgane, Mordred, Viviane et Lancelot. Je m'acharnai, des mois durant, à reproduire leurs images jusqu'à ce qu'elles prissent la forme exacte qui dominait dans mon souvenir, qu'elles fussent semblables à leurs modèles au moment de leur vie choisi par ma mémoire pour fixer à jamais leurs traits. Ainsi, je fis mon grand-père tel qu'il était après la bataille d'Isca, ma mère lors de notre première rencontre, Pendragon à Venta Belgarum et Uther le jour de son avènement. Je fis la figure grave et belle qu'avait Arthur au temps de Badon. Je fis Morgane au Val sans Retour, après son accouchement, Mordred avec le masque serein de la mort qu'il avait à Camlann, Viviane chasseresse telle qu'elle m'était apparue dans le bois de Carduel, et le visage désespéré de Lancelot, que je n'avais vu qu'une seule fois, peu avant son ultime combat.

Et, travaillant comme un forcené, rejetant avec férocité tout ce qui était approximatif ou maladroit, bâtissant un édifice d'une perfection que je n'avais jamais atteinte auparavant ni dans la pensée ni dans l'action, corrigeant dans la matière inerte les défauts que je n'avais pu réduire dans la chair et l'âme vivantes, je perçus clairement, par expérience, pourquoi l'homme vivait davantage, depuis la nuit des temps, de légende que d'histoire, et pourquoi dans son esprit, en fin de compte, la poésie prévalait sur le pouvoir. Parce que la légende construisait inlassablement une éternité dont l'histoire s'évertuait à démontrer le mensonge. Et moi, qui au faîte de ma puissance avais sommé l'histoire d'admettre l'éternité de la Table, je construisais, dans le dénuement, un monument à mon propre échec qui resterait sans doute ce que j'avais fait de plus beau et de plus durable, utilisant les matériaux de la légende, la pierre et les mots, pour figer un passé en fuite, une idée vaincue et une chair morte.

Pendant ces cinq années, je ne vis pas Morgane une seule fois. Tous les jours, à la porte de la salle du palais qui me servait d'habitation et d'atelier d'architecte, je trouvais des repas simples, copieux et bons, ainsi que ce qui était nécessaire à ma toilette et, parfois, des vêtements neufs. Mais aux derniers temps de ma tâche, les repas se firent plus rares et moins apprêtés, et je vis souvent un peu de nourriture répandue autour des plats, comme si le fait de les préparer et de les porter exigeait un effort de plus en plus pénible. Les deux derniers jours, il n'y eut plus rien.

Lorsque mon ouvrage fut achevé, je restai un long moment à le contempler, envahi soudain par une lassitude infinie et une paix proche du néant face à cette conclusion qui ne laissait après elle que l'absolue perspective du vide.

Je couchai dans l'un des sarcophages la dépouille desséchée d'Arthur. Puis j'allai dans ce qui restait du palais à la recherche de Morgane, malgré sa défense. J'arrivai dans une chambre magnifique. Au fond, sur une couche, une forme était étendue. Je m'approchai. Le corps était long, et le fin et riche tissu de la robe soulignait sa minceur élégante et fragile. Le visage était terrible. C'était celui d'une Méduse décharnée. La face creuse, ravinée par l'âge, dévastée par la haine, l'excès du souci et des plaisirs, était cernée par de lourdes torsades de cheveux semblables à des serpents neigeux. Et, regardant ce ravage qu'étaient devenus les traits de la plus belle femme d'Occident, il me semblait voir l'âme de Morgane qui affleurait. Elle ouvrit les yeux, et je retrouvai alors leur immense éclat vert, intact. Elle murmura faiblement :

« Je ne voulais pas que tu me voies ainsi. »

Je la pris dans mes bras et la serrai contre moi, comme je le faisais lorsqu'elle était enfant. Elle reprit :

« Je ne sais plus rien du bien et du mal, de l'amour et de la haine, du projet et du vide. Je sais seulement que je meurs. Mais avec toi, Merlin, je n'ai pas peur. »

Et comme naguère, dans le bois de Carduel, elle s'endormit dans mes bras, à jamais. Et soudain anéanti par le temps, la fatigue et le deuil, je me mis à pleurer pour la seconde fois de ma vie.

J'ai cent ans.

Dans les ténèbres du mausolée, Morgane repose aux côtés du roi, son frère, son amant et son ennemi. Ils sont enfin en paix, entourés des fantômes de pierre qui ont été l'aube, le plein jour et le couchant de Logres et de la Table Ronde.

Au palais du Lac déserté, dans la grande salle, un corps gît sur la dalle froide. J'ai effacé les signes qui griffaient la paroi de ma caverne. En vain, car ils se sont gravés à jamais dans ma mémoire : « Lancelot est mort et toi disparu. Ogmios était impuissant. Si tu reviens, menteur aimé, sache que j'ai mis fin à des jours dépeuplés et sans attrait. Laisse-moi telle que tu me trouves. Que ce palais entier soit mon tombeau ouvert. Car ayant vécu libre, je veux, morte, demeurer libre, craignant la claustration jusque dans le néant. »

J'ai cent ans.

Je suis dans le rêve de Morgane et j'habite, solitaire, une planète errante se chauffant en vain aux rayons d'un centre sans vie et sans motif.

J'habite une terre accessoire.

Et Morgane est dans mon rêve, petite fille prodigieuse et révoltée raisonnant au pied d'un grand arbre, petite fille apaisée dormant dans mes bras sur le chemin de Carduel.

C'est, tous comptes faits, ce qui me reste.

Je regarde le Bois en Val, le palais sur le lac de Diane, Trèbes, Avalon, le ciel et la mer. Et je ne peux voir que la mort de l'homme trois fois couché dans le sépulcre, et le triomphe de l'été.

ANNEXE

Je livre à la curiosité des honnêtes gens et à la férocité des érudits ma propre chronologie et ma propre géographie du cycle arthurien, ou plutôt du cycle de Merlin. Je me suis permis là, pour ma commodité et mon plaisir, un exercice de logique sur la fiction et l'histoire, qu'aucun spécialiste, grâce au ciel, ne s'autoriserait à faire, compte tenu du caractère peu abondant et aléatoire des informations et des repères. Disons qu'il s'agit, par rapport au récit qui précède, d'un complément systématique, mais de même nature, c'est-à-dire fondé sur un imaginaire personnel qui fait de mon entreprise une scandaleuse appropriation, une trahison réduite dans l'espace, mais illimitée dans l'esprit, consistant à accaparer sans la moindre piété une grande légende, la plus belle peut-être, la plus brouillonne et inégale assurément, qui fût jamais, non dans une intention culturelle, esthétique ou didactique, ou toute autre intention louable inspirée par le bien public et la dévotion à notre héritage, mais à mon seul profit.

L'auteur

DATE	EVENEMENTS
406	Départ des légions - Grand - père de Merlin roi des Demetae - Constant roi de Logres
412	Guerre des Demetae contre les Ordovices - Naissance de Leodegan
422	Victoire des Demetae à Deva - Naissance de Pendragon
423	Annexion de la terre des Ordovices par le grand - père de Merlin - Naissance d'Uther
425	Mort de Constant - Usurpation de Vortigern - Naissance de la mère de Merlin
426	Le grand - père de Merlin recueille Pendragon et Uther, fils de Constant
438	Naissance d'Ygerne - Invasion saxonne du Sud de Logres - Exode des habitants en Armorica
440	Alliance de Vortigern avec les Saxons à qui il donne une terre - Naissance de Loth
445	Naissance de Merlin - Guerre des Demetae contre les Silures
450	Victoire des Demetae à Isca - Prise de Carduel - Le grand - père de Merlin roi des Galles
452	Guerre des Galles contre Logres
453	Défaite et mort de Vortigern à Londinium (Londres) - Pendragon roi de Logres
454	Bataille de Venta Belgarum - Mort du roi des Galles et de Pendragon - Uther écrase les Saxons
455	Mausolée de Stanhenges - Uther roi de Logres et des Galles - Début de la conquête
456	Conquête des terres des Iceni et des Coritani - Mariage d'Ygerne et du roi de Dumnonia
457	Conquête des terres des Cornovii et des Parisii - Naissances de Kay et de Morcades
458	Alliance d'Uther avec Leodegan et Loth - Naissance de Morgane - Rencontre d'Uther et d'Ygerne
459	Guerre de Dumnonia - Conception d'Arthur - Victoire d'Uther - Mort du roi de Dumnonia à Tintagel
460	Mariage d'Uther et d'Ygerne - Paix d'Uther - Naissance d'Arthur placé par Merlin chez Auctor
461	Création de la Table Ronde par Merlin à Carduel - Naissance de Ban
462	Education d'Arthur et de Morgane par Merlin - Naissance de Bohort
474	Mariage de Morcades et de Loth d'Orcanie
475	Maladie d'Uther - Naissances de Guenièvre, Viviane et Gauvain - Mort d'Uther
476	Couronnement d'Arthur - Chute de Rome - Expédition d'Arthur en Armorica
477	Soumission de l'Armorica - Ban roi de Bénoïc - Bohort roi de Gaunes - Cardeu roi des Redones
478	Deuxième Table Ronde à Camelot - Passion incestueuse Arthur - Morgane - Conception de Mordred
479	Naissance de Mordred au Val sans Retour dans le pays de Bénoïc, en Armorica
490	Bataille de Mount Badon - Arthur écrase les Saxons - Morts de Leodegan et de Loth
491	Mariage d'Arthur et de Guenièvre - Morgane, Mordred et Viviane à Carduel
492	Morgane à Avalon - Merlin et Viviane au Bois en Val - Retraite de Merlin - La Dame du Lac
493	Guerre de Ban et Bohort contre Claudas - Guerre d'Arthur et Gauvain contre les Pictes
495	Naissance de Lancelot
496	Défaite et mort de Ban - Lancelot recueilli par Viviane - Naissance de Lionel
500	Défaite et mort de Bohort - Naissance de son second fils Bohort - Lionel et Bohort prisonniers de Claudas
508	Viviane délivre et recueille Lionel et Bohort
513	Lancelot, Lionel et Bohort à Camelot - Passion de Lancelot et de Guenièvre
520	Deuxième guerre contre Claudas menée par Lancelot, Lionel et Bohort armés par Arthur
522	Défaite et mort de Claudas - Lancelot à Bénoïc, Bohort en Terre Déserte, Lionel à Gaunes
523	Guerre de Gorre - Annexion de Gorre par Arthur
524	Expédition victorieuse d'Arthur contre Dalriada et les Pictes
525	Apogée de la Table Ronde - Paix d'Arthur
537	Lancelot et Guenièvre surpris - Lancelot tue les frères de Gauvain
538	Guerre d'Arthur contre Lancelot en Armorica - Régence de Mordred à Logres
539	Trahison de Mordred - Bataille de Camlann - Fin de la Table Ronde et de Logres
544	Mort de Morgane à Avalon - Mausolée d'Arthur et de Morgane à Avalon
545	Solitude de Merlin au Bois en Val

Constant	Vortigern	Blaise	Grand-père de Merlin	Leodegan	Pendragon, fils de Constant	Uther, fils de Constant	Mère de Merlin	Ygerne	Loth d'Orcanie	MERLIN	Kay, fils d'Auctor	Morcades, fille d'Ygerne	Morgane, fille d'Ygerne	Arthur, fils d'Uther et d'Ygerne	Ban de Benoïc	Bohort de Gaunes	Guenièvre, fille de Leodegan	Viviane, fille de Cardeu	Gauvain, fils de Loth et de Morcades	Mordred, fils d'Arthur et de Morgane	Lancelot, fils de Ban	Lionel, fils de Bohort	Bohort, fils de Bohort
36	36	31	16																				
42	42	37	22	Naiss.																			
52	52	47	32	10	Naiss.																		
53	53	48	33	11	1	Naiss.																	
55†	55	50	35	13	3	2	Naiss.																
	56	51	36	14	4	3	1																
	68	63	48	26	16	15	13	Naiss.															
	70	65	50	28	18	17	15	2	Naiss.														
	75	70	55	33	23	22	20	7	5	Naiss.													
	80	75	60	38	28	27	25	12	10	5													
	82	77	62	40	30	29	27	14	12	7													
	83†	78	63	41	31	30	28	15	13	8													
		79†	64†	42	32†	31	29†	16	14	9													
				43		32		17	15	10													
				44		33		18	16	11													
				45		34		19	17	12	Naiss.	Naiss.											
				46		35		20	18	13	1	1	Naiss.										
				47		36		21	19	14	2	2	1										
				48		37		22	20	15	3	3	2	Naiss.									
				49		38		23	21	16	4	4	3	1	Naiss.								
				50		39		24	22	17	5	5	4	2	1	Naiss.							
				62		51		36	34	29	17	17	16	14	13	12							
				63		52†		37	35	30	18	18	17	15	14	13	Naiss.	Naiss.	Naiss.				
				64				38	36	31	19	19	18	16	15	14	1	1	1				
				65				39	37	32	20	20	19	17	16	15	2	2	2				
				66				40†	38	33	21	21	20	18	17	16	3	3	3				
				67					39	34	22	22	21	19	18	17	4	4	4	Naiss.			
				78†					50†	45	33	33	32	30	29	28	15	15	15	11			
										46	34	34	33	31	30	29	16	16	16	12			
										47	35	35	34	32	31	30	17	17	17	13			
										48	36	36	35	33	32	31	18	18	18	14			
										50	38	38	37	35	34	33	20	20	20	16	Naiss.		
										51	39	39	38	36	35†	34	21	21	21	17	1	Naiss.	
										55	43	43†	42	40		38†	25	25	25	21	5	4	Naiss.
										63	51		50	48			33	33	33	29	13	12	8
										68	56		55	53			38	38	38	34	18	17	13
										75	63		62	60			45	45	45	41	25	24	20
										77	65		64	62			47	47	47	43	27	26	22
										78	66		65	63			48	48	48	44	28	27	23
										79	67		66	64			49	49	49	45	29	28	24
										80	68		67	65			50	50	50	46	30	29	25
										92	80		79	77			62	62	62	58	42	41	37
										93	81		80	78			63	63	63	59	43	42	38
										94	82†		81	79†			64†	64†	64†	60†	44†	43†	39†
										99			86†										
										100													

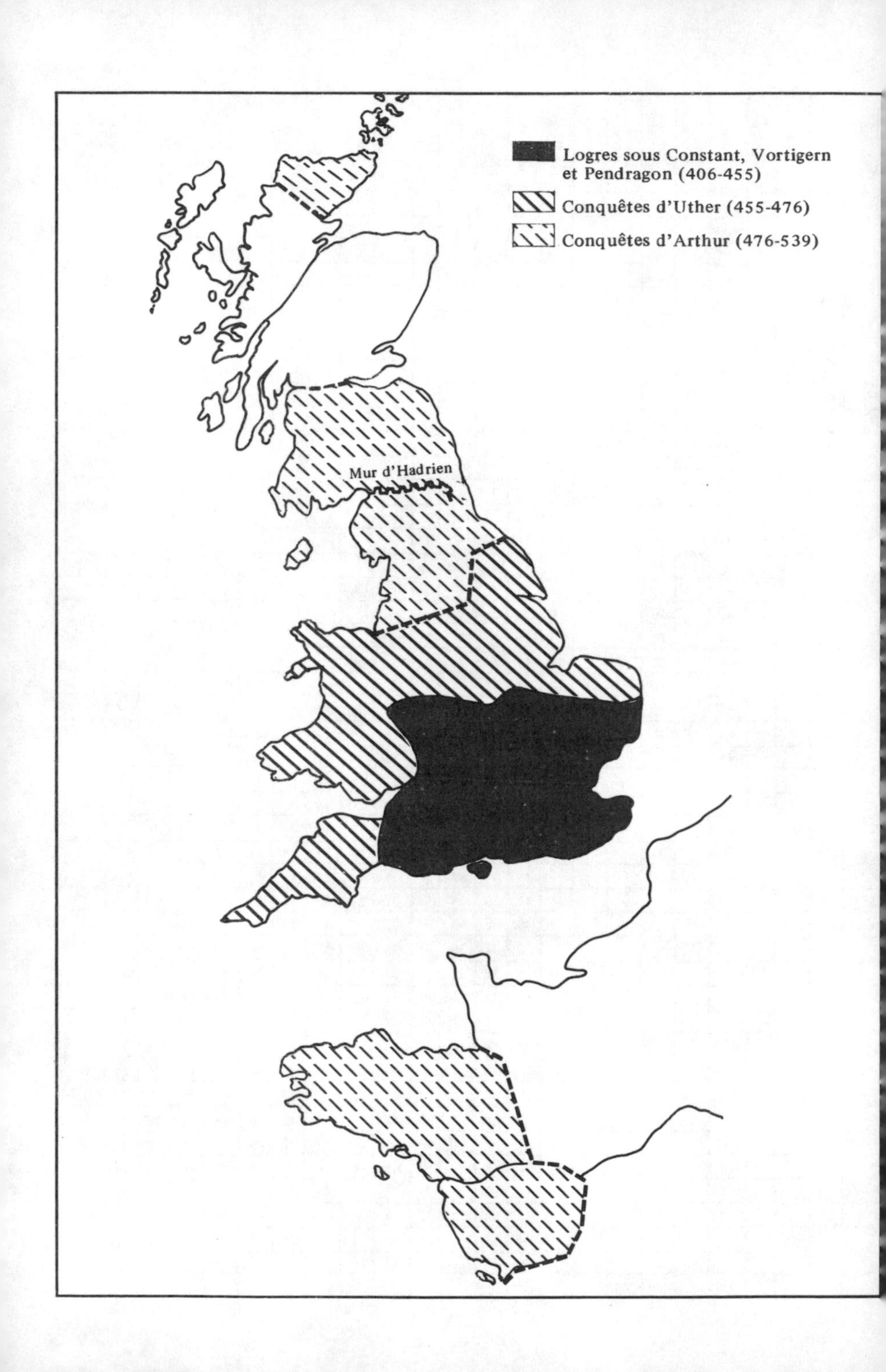
Logres sous Constant, Vortigern et Pendragon (406-455)
Conquêtes d'Uther (455-476)
Conquêtes d'Arthur (476-539)
Mur d'Hadrien

ORCANIE
(Orcades et Caledonia du Nord)
TERRE DES PICTES
PICTI
SCOTTI
DALRIADA
GORRE
(Caledonia du Sud)
CALEDONES
Mur d'Hadrien
Camlann
BRIGANTES
Isurium
Eburacum
PARISII
Petuaria
Deva
CORNOVII
CORITANI
ORDOVICES
Ratae
ICENI
Venta
LOGRES
Viroconium
GALLES
DOBUNNI
TRINOVANTES
DEMETAE
SILURES
Corinium
CATUVELLAUNI
Verulamium
Camulodunum
Moridunum
Carduel
Londinium
Isca
BELGAE
ATREBATES
Badon
Calleva
CANTIACI
Durovernum
Camelot
Isca
Venta
REGNENSES
Tintagel
DUROTRIGES
DUMNONII
Noviomagus
Durnovaria
DUMNONIA
Frontières de l'empire arthurien
Frontières des civitates et des royaumes soumis
Capitales successives de Logres
Capitales des civitates et des royaumes soumis
Forteresses
Palais
Bois et forêts
PAYS et PEUPLES
Batailles principales
Ile d'Avalon
Bois en Val
Trèbes
Palais du Lac
BRETONS
Bénoïc
REDONES
ARMORICA
(Bretagne gauloise)
Gaunes
Forêt de Brocéliande
Rennes
Palais du Val sans Retour
TERRE DÉSERTE

IMPRIMERIE HÉRISSEY À ÉVREUX (EURE)
DÉPÔT LÉGAL : MARS 1989. N° 10553 (47177)